masajes

para bebés y niños

MÉTODO TUI 推拿 NA

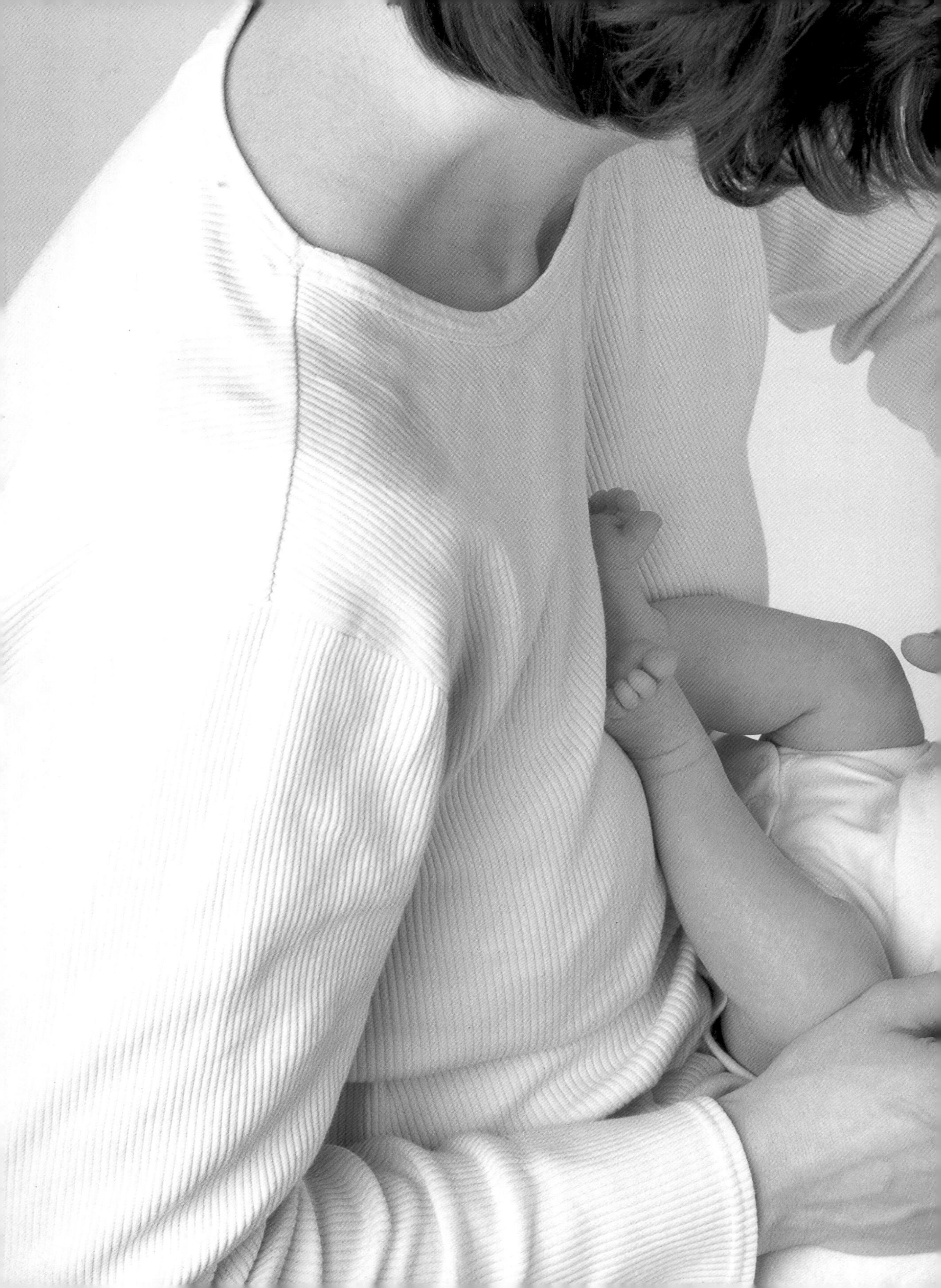

masajes

para bebés y niños

MÉTODO TUI 推拿 NA

Maria Mercati

Javier Vergara Editor
GRUPO ZETA

Barcelona / Bogotá / Buenos Aires
Caracas / Madrid / México D.F.
Montevideo / Quito / Santiago de Chile

A GAIA ORIGINAL

Los libros de Gaia reflejan la visión de la editorial, privilegian la riqueza autosuficiente de la Tierra y buscan ayudar a los lectores para que vivan en una mayor armonía personal y cósmica.

Título original: *Tui Na Massage*

Editora Katherine Pate
Diseño Lucy Guenot
Ilustradora Sheilagh Noble
Fotógrafo Steve Teague
Editor jefe Pip Morgan
Traducción Élida Smalietis

Advertencia
El uso de las técnicas y tratamientos que aparecen en este libro queda al arbitrio y bajo la sola responsabilidad del lector. Respete siempre las precauciones mencionadas y consulte al médico ante cualquier duda con respecto a la salud.

Primera edición en Gran Bretaña en 2000
por Gaia Books Ltd., 66 Charlotte Street, London W1P 1LR
y 20 High Street, Stroud, Gloucestershire GL5 1AZ

ESTA ES UNA COEDICIÓN DE EDICIONES B S.A. Y EDICIONES B ARGENTINA S.A.
CON GAIA BOOKS LTD PARA EL SELLO JAVIER VERGARA EDITOR

www.edicionesb.com.ar

ISBN 950-15-2139-7
Primera edición 2000

Impreso y encuadernado por Imago en Singapur

Contenido

Nota de la autora

Como madre, siempre he tenido conciencia de los beneficios de criar a un niño en la forma más natural y holística posible. Con mis cuatro hijos, cuidé especialmente su dieta y sus horas de sueño, y reduje al mínimo el uso de fármacos en el tratamiento de sus enfermedades infantiles. Al reflexionar sobre ello, estoy satisfecha con los resultados que he logrado, pero deseo haber tenido en ese entonces los conocimientos que ahora les presento aquí.

El masaje Tui Na para niños es un método único para el cuidado de la salud creado por los chinos con el objeto de promover el desarrollo de un cuerpo sano, un sistema inmunológico resistente y un intelecto vivaz durante el período crucial de formación, desde el nacimiento hasta los cinco años. Su objetivo consiste en fortalecer los órganos internos y equilibrar su funcionamiento para dar al niño resistencia a las enfermedades y estimular su cerebro. Mientras aprendía estas técnicas de los expertos médicos chinos, pude observar los poderosos efectos producidos por el empleo regular y frecuente del masaje Tui Na desde el nacimiento.

En China, el masaje Tui Na infantil se practica en los hospitales de Medicina Tradicional China para tratar todos los trastornos comunes de la infancia, como fiebre, vómitos, diarrea y convulsiones. Las técnicas del Tui Na también se utilizan a diario en muchos parvularios/jardines de infantes chinos, donde los niños se aplican masajes faciales para fortalecer la vista.

En el Centro BodyHarmonics® de Cheltenham, que fundé junto con mi esposo en 1990, brindamos capacitación en masaje Tui Na, acupuntura y masajes tradicionales tailandés e indonesio; además, ofrecemos cursos para padres sobre el método Tui Na para el cuidado de la salud y el tratamiento de enfermedades infantiles.

El propósito de esta obra es mostrar el uso del masaje Tui Na para ayudarla a criar a su niño más sano, brillante y feliz. El último capítulo incluye algunas sesiones de tratamientos básicos para enfermedades comunes de la infancia.

Maria Mercati

Cómo utilizar este libro

Masaje Tui Na para niños más sanos y vivaces explica la forma de aplicar ese antiguo arte de masaje curativo para promover el desarrollo saludable de su hijo en mente, cuerpo y espíritu.

El Capítulo 1 presenta una sencilla introducción a la teoría de la Medicina Tradicional China, en la cual se basa el masaje Tui Na. Contiene una descripción de las características únicas del Tui Na y su aplicación en los niños para estimular su desarrollo mental y físico. En el Capítulo 2 se muestran las técnicas básicas del masaje Tui Na –fricción, amasado y pellizcado– mediante fotografías e instrucciones claras. Es preciso familiarizarse con estas técnicas antes de comenzar con las sesiones de masaje y los tratamientos de los Capítulos 3 y 4.

El Capítulo 3 detalla la sesión de masaje para el cuidado de la salud, método único que se realiza en el cuerpo entero y que tiene como objetivo restaurar el equilibrio de la energía corporal para lograr bienestar, salud, y un óptimo desarrollo mental y físico. Está dividido en siete secciones dedicadas a diferentes partes del cuerpo. El inicio de cada sección incluye fotografías que muestran los puntos y las zonas de trabajo en esa parte de la sesión. Las técnicas están ampliamente ilustradas, y las instrucciones paso a paso describen con claridad cómo localizar cada punto en particular.

Al principio, procure realizar una sección por vez. Una vez que adquiera seguridad con todas las secciones que componen la sesión, podrá emplearlas en el orden que prefiera. Lo ideal es realizar la sesión completa dos veces por semana, pero el masaje será beneficioso aun si se realiza con menos frecuencia.

En China, el masaje Tui Na también se emplea como tratamiento para las enfermedades infantiles. En el Capítulo 3 se destacan algunos de sus efectos terapéuticos mediante consejos para tratar síntomas frecuentes, como un resfriado. El Capítulo 4 incluye tratamientos básicos para cinco trastornos infantiles comunes: gripe, tos, intranquilidad y llanto nocturnos, cólicos y dentición.

Todos los puntos que se trabajan en el masaje están resumidos en el Glosario de la página 92, con su correspondiente nombre en chino y una clara descripción para localizarlos.

En la medicina china, muchos términos de anatomía y nombres de órganos tienen un significado más amplio que en Occidente. En este libro, la interpretación china se indica mediante la letra inicial en mayúscula.

Capítulo 1

El poder del Tui Na

El instinto natural de los padres de abrazar y mimar a sus bebés no es casual. En los recién nacidos, el sentido más desarrollado es el del tacto, y está relacionado con el sistema nervioso autónomo, con las emociones y con la conciencia. Por lo tanto, además de dar seguridad y tranquilidad, el contacto físico afectuoso también produce un efecto positivo en el desarrollo físico y mental del niño. Los padres de todo el mundo atienden las necesidades de sus bebés mediante los mimos y las caricias, el contacto estrecho con el cuerpo, y el masaje.

Los chinos practican el masaje infantil hace por lo menos 700 años, tanto para tratar enfermedades como para estimular el sano desarrollo mental y físico. Fue creado sobre la base del masaje Tui Na, una de las artes curativas de la Medicina Tradicional China, junto con la medicina a base de hierbas y la acupuntura.

En la teoría de la Medicina Tradicional China es fundamental el concepto del Qi (pronúnciese "chi"), energía vital presente en todo el universo. El Qi es la fuerza que activa la vida y fluye en todos los seres vivientes.

La circulación y el equilibrio del Qi en el cuerpo del niño determina cada aspecto de su desarrollo, su salud y su potencial. El flujo del Qi puede verse afectado por factores físicos –como el ejercicio, el sueño y la dieta– y también por las emociones. Los trastornos que se producen en dichos factores se dividen en dos categorías: excesos e insuficiencias. Ejemplos de excesos son la sobrealimentación, la ingestión de alimentos demasiado

sustanciosos y las rabietas. Si bien es sano sentir y expresar emociones, la sobreexcitación –debida a emociones positivas, como la alegría, o a negativas, como la ira– puede afectar el flujo del Qi, causando intranquilidad y dificultad para dormir. En el estilo de vida actual, las insuficiencias típicas son la alimentación pobre –por ingerir comidas de mala calidad–, el dormir poco y la falta de ejercicio. El punto de vista chino procura lograr el equilibrio y la armonía en todos los aspectos de la vida, evitando los excesos y las insuficiencias; pero en la práctica eso es difícil de lograr.

El Tui Na es un poderoso método para restaurar el equilibrio del flujo del Qi. Al concentrarse en zonas y puntos específicos del cuerpo donde el flujo del Qi se puede manipular, el masaje Tui Na restaura y promueve el libre flujo del Qi a través de todo el cuerpo. Según el enfoque chino, si el Qi fluye libremente, el niño será más sano, vivaz y feliz.

El potencial de los niños

Los niños tienen un increíble potencial para el crecimiento y el desarrollo físico, emocional e intelectual, pero existen dos limitaciones. La primera es el inmodificable "mapa" genético de su conformación. Su hijo crecerá y vivirá siempre dentro de los límites determinados por sus genes; sin embargo, para el niño promedio sano, eso implica un potencial casi ilimitado para su desarrollo y sus logros.

La segunda limitación es el entorno. Los padres son las personas más importantes en la vida del niño durante sus primeros años; tienen la responsabilidad y la posibilidad de tomar decisiones que influirán de manera fundamental en el desarrollo de su hijo. La sesión para el cuidado de la salud que aparece en el Capítulo 3 le da la oportunidad de emplear el masaje Tui Na para contribuir a que su hijo desarrolle su potencial. La clave para desplegar ese potencial es la fuerza Qi; Tui Na es la forma en que los chinos han liberado esta fuerza durante más de 3.500 años.

El incremento del Qi en su hijo

Como hemos visto, el flujo del Qi es afectado por factores físicos como el sueño, el ejercicio y la dieta. Si bien con el método Tui Na es posible equilibrar y regular el flujo del Qi en su hijo, el esfuerzo será mayor si el niño no hace suficiente ejercicio, duerme poco o se alimenta mal. Todas las teorías médicas consideran que esos tres factores –la dieta, el sueño y el ejercicio– son vitales para el crecimiento y el sano desarrollo de un niño. Asimismo, los modelos establecidos en la niñez continúan influyendo en la salud y el bienestar de una persona durante muchos años después, por lo tanto es sumamente importante enseñar buenos hábitos a su hijo desde temprana edad.

Los niños sanos están naturalmente llenos de energía. La actividad física desarrolla y fortalece sus músculos; desde muy pequeños, los bebés se mueven mucho, agitando los brazos y las piernas. Conforme crecen, comienzan a rodar, a sentarse, a gatear y finalmente a caminar; cuando son mayores, parecen estar casi siempre en movimiento. El ejercicio regular acelera la circulación sanguínea e incrementa la absorción de oxígeno, lo que a su vez estimula el flujo del Qi en el cuerpo. Este incremento en el flujo del Qi hace más efectivas las técnicas de masaje Tui Na pues mejora el desarrollo óseo-muscular y la coordinación física. Procure que su hijo pase bastantes horas jugando activamente y al aire libre siempre que sea posible, y déle la oportunidad de caminar en lugar de llevarlo en la silla para bebés.

Para que la dieta de un niño pequeño sea saludable e incremente la fuerza Qi, deberá estar bien equilibrada e incluir muchas frutas y vegetales frescos, crudos o apenas cocidos. Adquiera alimentos orgánicos siempre que pueda para que el organismo del niño procese menos residuos de plaguicidas químicos. Trate de evitar las comidas rápidas de preparación rápida, que por lo general contienen saborizantes, conservantes y colorantes químicos. Las bebidas gaseosas y las golosinas –que normalmente tienen gran cantidad de azúcar, edulcorantes y colorantes artificiales–, al igual que las patatas fritas o los bocados con alto contenido de grasa y sal, no deben formar parte de la dieta regular de un niño.

Si usted incorpora a la dieta del bebé una amplia gama de sabores y alimentos saludables desde el principio de la alimentación sólida, con el tiempo aceptará gran variedad de sabores. En este momento, pruebe mojando su meñique (limpio) en cualquiera de los platos saludables que prepare para el resto de la familia y deje que el niño lo chupe. No se desaliente si obtiene una respuesta negativa; vuelva a intentar con el mismo plato más adelante si usted sabe que será bueno para la salud de su hijo.

Los peligros externos

Según la teoría china, todas las enfermedades son causadas por un desequilibrio en el flujo del Qi. El viento, el frío, la humedad y el calor son "peligros externos" que pueden invadir el cuerpo y perturbar el flujo del Qi, provocando una enfermedad.

El viento puede causar trastornos como gripe, dolor de garganta y tos.

Vista a su hijo con ropa que lo proteja de las corrientes de aire, incluso cuando el clima sea cálido. Hasta en un día caluroso de verano, una corriente de aire a través de la ventanilla del coche, por ejemplo, puede tener efectos perjudiciales.

El frío puede reducir la temperatura corporal y así hacer más lenta la circulación superficial, causando problemas en el pecho y el estómago.

Evite que su hijo ingiera alimentos muy fríos, como el helado y las bebidas muy refrigeradas, y abríguelo cuando el clima sea frío.

El calor excesivo puede provocar fiebre, inflamación y estreñimiento.

En verano, mantenga al niño a la sombra y procure que su casa no se sobrecaliente.

La humedad puede causar diarrea.

Evite los alimentos grasos y con demasiada azúcar, una causa común de que la humedad afecte el cuerpo.

El Tui Na promueve el flujo y el equilibrio del Qi estimulando el sistema inmunológico y dando al niño la resistencia que necesita para defenderse de esos cuatro peligros externos.

Los chinos consideran que durante el sueño se consolidan todas las funciones corporales, incluidas las de reparar y curar, si la fuerza del Qi está bien equilibrada. Asimismo, en las horas de sueño el Qi puede estimular el crecimiento y el desarrollo, pues para ello no es necesario el movimiento y la actividad mental consciente. Si se pierden de dos a tres horas de sueño profundo cada noche, se produce un efecto acumulativo que con el tiempo se manifiesta en menor rendimiento, falta de concentración, menos vitalidad, mala salud y perturbaciones emocionales.

La teoría del Tui Na

Si bien usted no necesita conocer toda la compleja teoría en la que se basa el método Tui Na para aplicar las técnicas de masaje en su hijo, saber algunos conceptos básicos de la Medicina Tradicional China le ayudarán para entender por qué el Tui Na puede ser una herramienta poderosa para mantener y promover la salud y el bienestar.

En toda la filosofía china es fundamental el concepto del yin y el yang, que representan las dos características esenciales y opuestas presentes en todo lo existente en el universo. Nada es completamente yin ni completamente yang; ambos existen sólo en relación mutua. Por ejemplo, "frío" tiene una característica más yin, mientras que "caliente" es mayormente yang. Otros ejemplos de pares yin-yang son pasividad y actividad, sueño y vigilia, silencio y ruido. Asimismo, el yin y el yang no son estáticos sino que interactúan mutuamente, tal como la noche (yin) se convierte en día (yang) y vuelve a transformarse en noche, en un ciclo continuo de cambio. Los chinos ven en ese "cambio" una característica básica de la vida.

El Qi, la fuerza universal que da vida, fue descrito en página 8. En el cuerpo humano, el Qi fluye por unos canales denominados meridianos; cualquier perturbación de esa corriente de Qi se manifiesta con dolor, susceptibilidad a las enfermedades y alteraciones en los procesos mentales. El sistema clásico de meridianos fue representado por primera vez hace 4.000 años y constituye la base de la Medicina Tradicional China. Cada meridiano controla el Qi de cada uno de los órganos principales y se denomina según ese órgano; por ejemplo, meridiano de la vejiga o meridiano del bazo. La teoría médica china considera que los órganos no sólo son partes del organismo sino también sistemas con funciones mucho más amplias. En página 17 se describen algunas de las funciones que pueden ser influidas a través de los meridianos.

En determinados puntos de los meridianos, llamados puntos Qi, el flujo del Qi puede manipularse mediante el masaje. Dichos puntos

SUEÑO SALUDABLE

Casi todos los niños necesitan dormir la siesta durante el día, además del sueño nocturno. Para un crecimiento sano y un desarrollo normal es importante dormir de manera profunda e ininterrumpida durante varias horas.

reciben un nombre y un número según el meridiano donde se encuentran; por ejemplo, bazo 6 o intestino grueso 4. El masaje en los puntos Qi afecta el flujo del Qi favoreciendo su equilibrio en toda la red de meridianos y en los órganos, y en consecuencia, produciendo efectos de largo alcance en todo el cuerpo. A modo de ejemplo, masajear en la pierna un punto situado en el meridiano del estómago mejora la digestión, función controlada por el estómago.

Todo lo que existe en el universo puede ser clasificado como yin o yang, y los órganos del cuerpo no son la excepción. Los órganos yin son los órganos sólidos internos, como los pulmones, los riñones, el hígado, el corazón y el bazo. Los órganos huecos y situados en lugares más externos, como el intestino grueso, la vejiga, la vesícula biliar, el intestino delgado y el estómago, son yang. Para desarrollarse sanamente, los niños necesitan que en sus sistemas orgánicos haya un equilibrio entre yin y yang. El Tui Na promueve dicho equilibrio afectando el flujo del Qi, energía que mantiene el equilibrio yin yang en los órganos.

El Neibagua

Los antiguos filósofos chinos estaban interesados en explicar los fenómenos que observaban en el mundo que los rodeaba. Una de las teorías tradicionales define ocho energías naturales en el universo: Agua, Montaña, Trueno, Viento, Fuego, Tierra, Río y Cielo; cada una tiene diferentes características de yin y yang con respecto a las demás. Según esa teoría tradicional, dichas energías naturales están representadas en la palma de los niños, en una zona denominada Neibagua, que significa "teoría de la energía". El Neibagua está situado en el centro de la palma; su radio ocupa dos tercios de la distancia que va desde el punto central a la base del dedo mayor. Friccionar el Neibagua en el sentido de las agujas del reloj equilibra todas las energías que hay en el cuerpo y estimula el flujo del Qi; esto a su vez mejora el funcionamiento de los órganos internos, refuerza el sistema inmunológico, estimula las funciones reguladoras del cerebro y produce un efecto calmante.

LAS ENERGÍAS DEL NEIBAGUA
Tradicionalmente, el Neibagua se muestra en forma de octógono, en cuyos lados están representadas las ocho energías naturales. Los trigramas ilustran las características yin y yang de cada una de las ocho energías naturales en relación con las demás. La línea discontinua representa el yin; la continua, el yang.

El símbolo de yin y yang en el centro de la palma muestra la interacción entre el yin (la zona oscura) y el yang (la parte clara). Ambos se contienen mutuamente y se transforman en el otro (véase página 12).

Los cinco elementos

La antigua teoría de las "ocho energías naturales" comprende el concepto de los cinco elementos, concepto aún vigente en China. Dichos elementos son Agua, Madera, Fuego, Tierra y Metal; cada uno representa un tipo específico de energía presente en nosotros y en todo lo que nos rodea. La red de relaciones entre esos

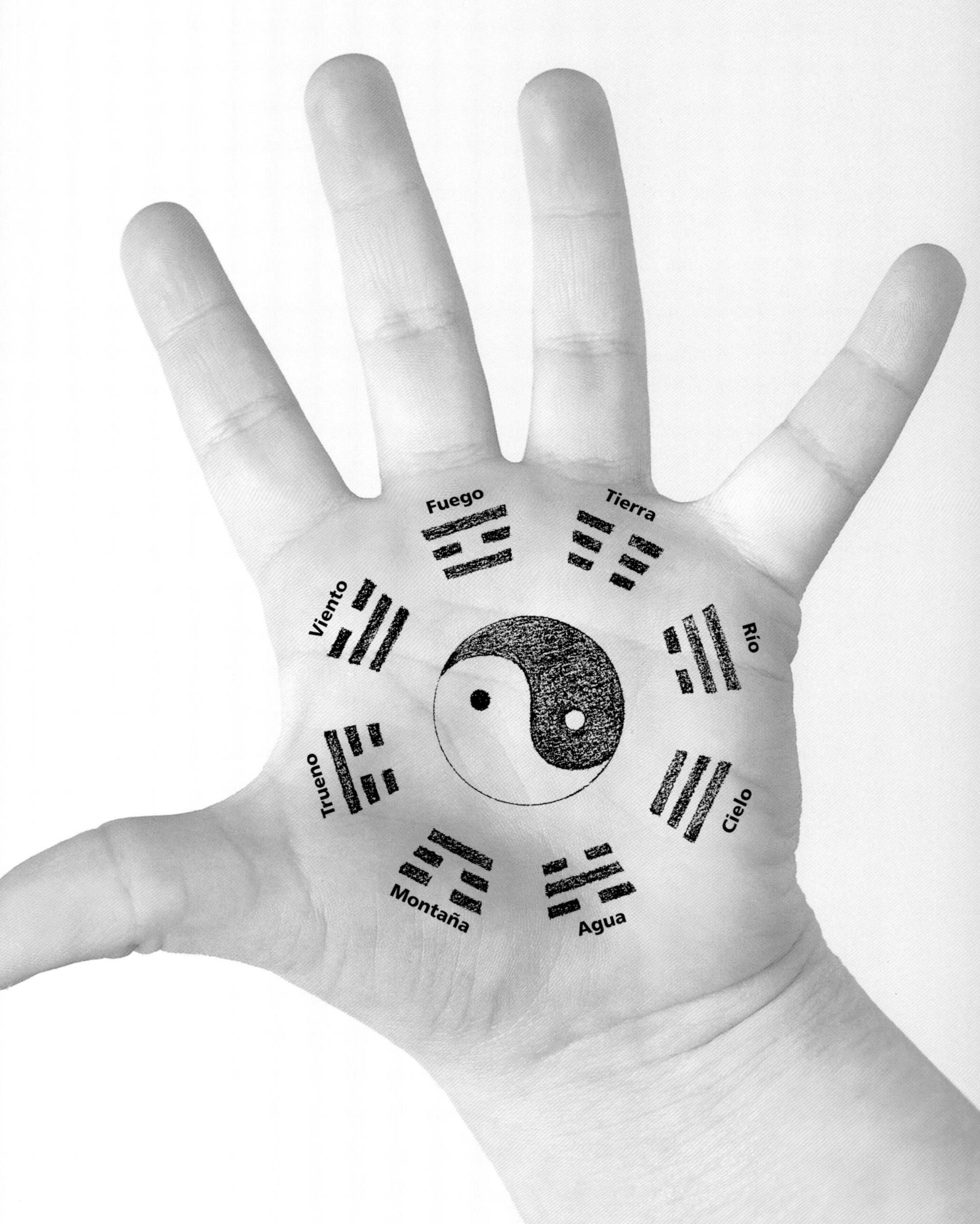

Fuego
Tierra
Viento
Río
Trueno
Cielo
Montaña
Agua

elementos es muy compleja; refleja las diferentes maneras en que nos relacionamos con nuestro entorno y proporciona una forma de explicar esa interacción. Por ejemplo, cada elemento está asociado con una estación, un color, un tipo de clima, un sabor y una emoción. Los sistemas orgánicos corporales también funcionan bajo la influencia de dichas energías. Cada elemento se relaciona con un órgano yin y con otro yang, y los domina; ambos órganos se consideran como un par.

En el Neibagua de la palma de los niños hay ocho zonas (los lados del octógono) que están relacionadas con las ocho energías naturales. Asimismo, cada uno de los cinco dedos tiene un vínculo energético con cada uno de los cinco elementos, y por ende, con el par de órganos controlados por cada elemento. Estas relaciones se ilustran a la derecha. En particular, en cada dedo hay un meridiano del órgano yin controlado por su correspondiente elemento. Al masajear en los dedos los meridianos de los órganos se equilibra el Qi en los sistemas orgánicos relacionados, y también en los órganos yang correspondientes, con los efectos específicos que se detallan al lado. Según la Medicina Tradicional China, los órganos son vías hacia el cerebro. Sólo a través de los órganos es posible desarrollar la inteligencia y la estabilidad emocional.

En los niños pequeños, el sistema de los meridianos es muy delicado y aún se encuentra en proceso de desarrollo. En el Tui Na para niños se utilizan muchos puntos Qi adicionales que no se emplean en los adultos. El Tui Na es un método único, pues permite acceder y afectar la energía de los órganos internos a través de las manos mediante el masaje, ya sea en el Neibagua, en los dedos (sobre los meridianos de los órganos) y en otros puntos Qi. Una de sus ventajas radica en que esos puntos se pueden masajear fácilmente sin tener que desvestir al niño. Además, existen puntos adicionales de masaje en la cara, los brazos, las piernas, el pecho y la espalda; algunos coinciden con los puntos de los adultos. Todos se pueden masajear sobre la piel desnuda o sobre la ropa; lo que resulte más conveniente según el caso. Es posible que en la creación del Tui Na para niños también haya influido el clima de China, caracterizado por tener frío y calor extremos, haciendo poco práctico el masaje de cuerpo entero sobre la piel desnuda.

En China, el Tui Na se utiliza actualmente en hospitales tanto para el tratamiento de enfermedades como para favorecer el sano desarrollo de los niños. Como funciona equilibrando el Qi, es una forma de tratamiento extremadamente segura; considera al niño de manera integral y carece de efectos colaterales perjudiciales. El masaje Tui Na constituye una manera de promover la salud y el desarrollo del niño; a su vez permite el contacto físico afectuoso que encanta a casi todos los niños.

Los meridianos de los órganos y su situación en los dedos

Cada uno de los cinco dedos está relacionado con uno de los cinco elementos, y por ende, con los órganos influidos por la energía de ese elemento.

- El pulgar está vinculado con el elemento Tierra.
  El órgano yin influido por la energía del elemento Tierra es el bazo. Su órgano yang correspondiente es el estómago.
- El índice está vinculado con el elemento Madera.
  El órgano yin influido por la energía del elemento Madera es el hígado. Su órgano yang correspondiente es la vesícula biliar.
- El mayor está vinculado con el elemento Fuego.
  El órgano yin influido por la energía del elemento Fuego es el corazón. Su órgano yang correspondiente es el intestino delgado.
- El anular está vinculado con el elemento Metal.
  El órgano yin influido por la energía del elemento Metal es el pulmón. Su órgano yang correspondiente es el intestino grueso.
- El meñique está vinculado con el elemento Agua.
  El órgano yin influido por la energía del elemento Agua es el riñón. Su órgano yang correspondiente es la vejiga.

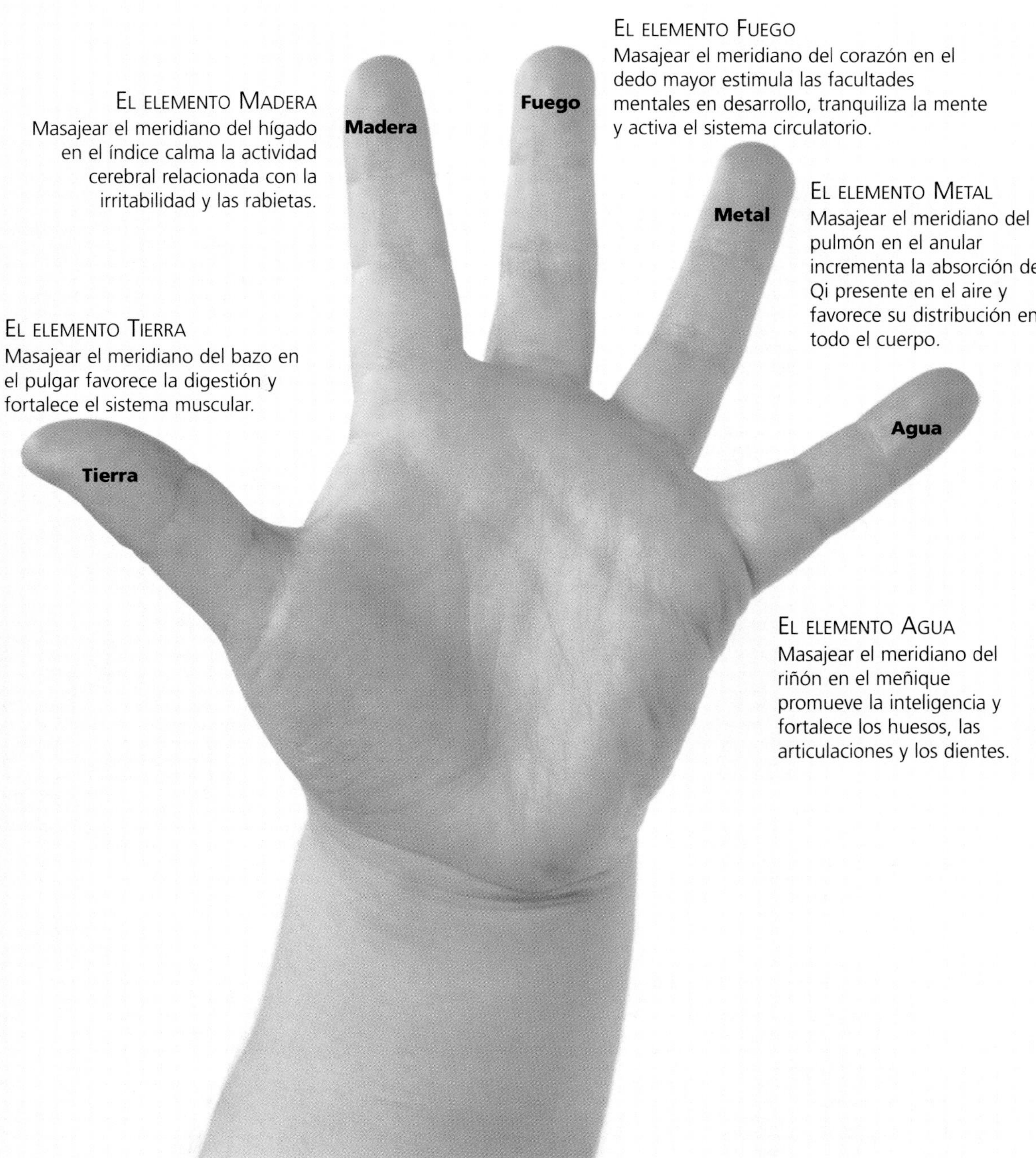

El elemento Madera

Masajear el meridiano del hígado en el índice calma la actividad cerebral relacionada con la irritabilidad y las rabietas.

El elemento Fuego

Masajear el meridiano del corazón en el dedo mayor estimula las facultades mentales en desarrollo, tranquiliza la mente y activa el sistema circulatorio.

El elemento Metal

Masajear el meridiano del pulmón en el anular incrementa la absorción del Qi presente en el aire y favorece su distribución en todo el cuerpo.

El elemento Tierra

Masajear el meridiano del bazo en el pulgar favorece la digestión y fortalece el sistema muscular.

El elemento Agua

Masajear el meridiano del riñón en el meñique promueve la inteligencia y fortalece los huesos, las articulaciones y los dientes.

Capítulo 2

LAS TÉCNICAS DE MASAJE

Antes de completar toda la sesión de masaje para el cuidado de la salud que explico en el Capítulo 3, necesitará familiarizarse con las tres técnicas básicas del masaje Tui Na: fricción, pellizcado y amasado; todas se ilustran con figuras e instrucciones claras en las páginas siguientes. Antes de comenzar el masaje en su hijo, practique estas técnicas en usted; por ejemplo, en la pierna y el brazo.

Cuando masajee la piel desnuda del tronco, los brazos, las piernas o las manos, primero introduzca los dedos en un poco de talco sin perfume para bebés o en fécula de maíz para que sus dedos se deslicen por la piel con más suavidad. Esto es especialmente importante con la piel delicada de los bebés muy pequeños. Para las zonas de la cara y la frente puede utilizar agua o un aceite de poca viscosidad, pero cuidando la cantidad; la piel no debe quedar grasosa.

Antes de comenzar, tenga las manos tibias, con las uñas cortas. Emplee toques ligeros pero firmes, sobre todo cuando las instrucciones indican realizar el masaje con suavidad.

Advertencia: no masajear en heridas, zonas doloridas o piel lastimada, por ejemplo un eccema.

BENEFICIOS DE LA FRICCIÓN
- Tranquiliza y favorece la relajación
- Genera calor
- Moviliza el Qi
- Estimula la circulación sanguínea

BENEFICIOS DEL AMASADO
- Incrementa el flujo del Qi
- Permite que los tejidos subcutáneos absorban mejor el Qi

BENEFICIOS DEL PELLIZCADO
- Moviliza el Qi
- Estimula el sano desarrollo de los tejidos

Fricción

Friccionar la superficie de la piel genera calor; esto moviliza el Qi. Para realizar esta técnica deben emplearse movimientos rápidos y suaves en la zona tratada, con presión uniforme, y de un lado al otro. Puede efectuarse sobre la piel desnuda o sobre la ropa.

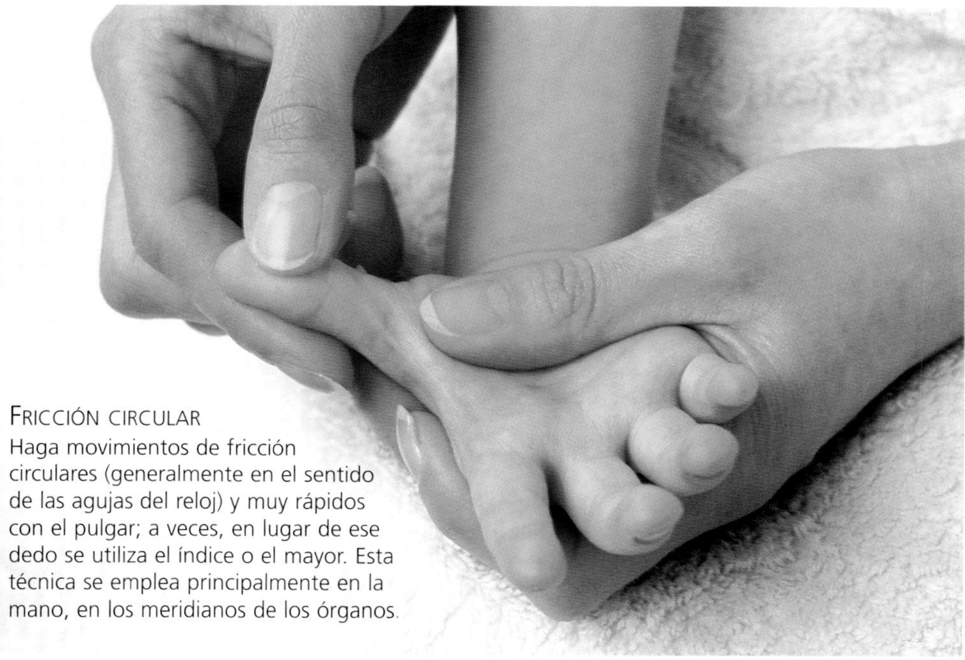

FRICCIÓN CIRCULAR
Haga movimientos de fricción circulares (generalmente en el sentido de las agujas del reloj) y muy rápidos con el pulgar; a veces, en lugar de ese dedo se utiliza el índice o el mayor. Esta técnica se emplea principalmente en la mano, en los meridianos de los órganos.

FRICCIÓN EN LÍNEA RECTA
Friccione rápidamente en línea recta con la yema del pulgar. En algún momento del masaje es preciso friccionar sólo en una dirección, mientras que en otro será necesario friccionar de un lado al otro. Además, en algunos pasos de la sesión del Capítulo 3 se debe friccionar hacia fuera con ambos pulgares simultáneamente; por ejemplo, desde el punto central de la muñeca.

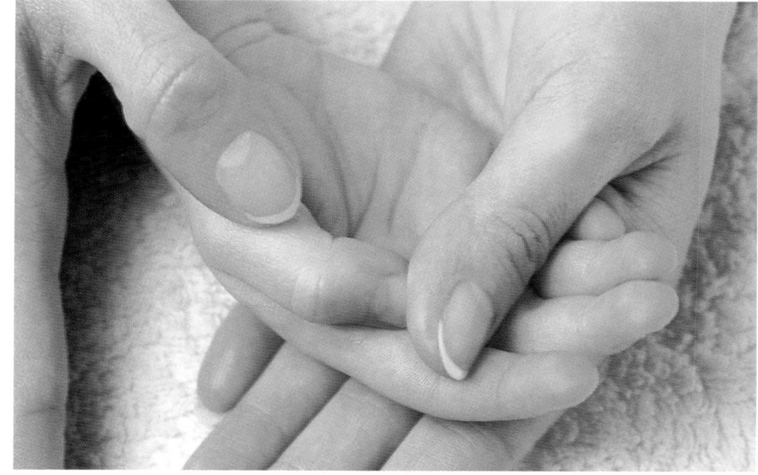

FRICCIÓN CON DOS DEDOS

Esta técnica se utiliza para friccionar la piel a lo largo de los meridianos; se emplean juntos el índice y el mayor. El movimiento puede ser en una sola dirección o de un lado a otro, según lo que se especifique en las diferentes partes de la sesión para el cuidado de la salud.

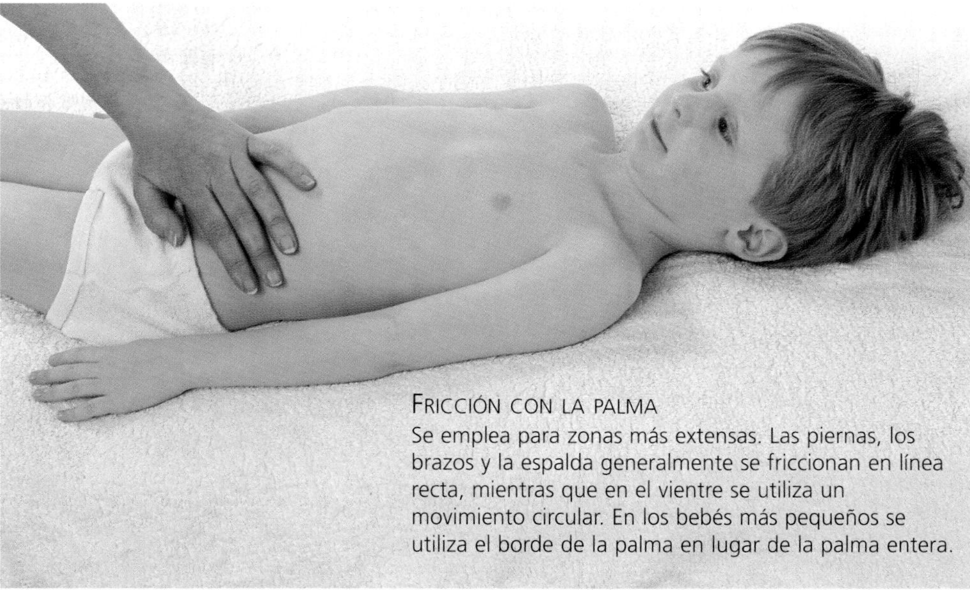

FRICCIÓN CON LA PALMA

Se emplea para zonas más extensas. Las piernas, los brazos y la espalda generalmente se friccionan en línea recta, mientras que en el vientre se utiliza un movimiento circular. En los bebés más pequeños se utiliza el borde de la palma en lugar de la palma entera.

Amasado

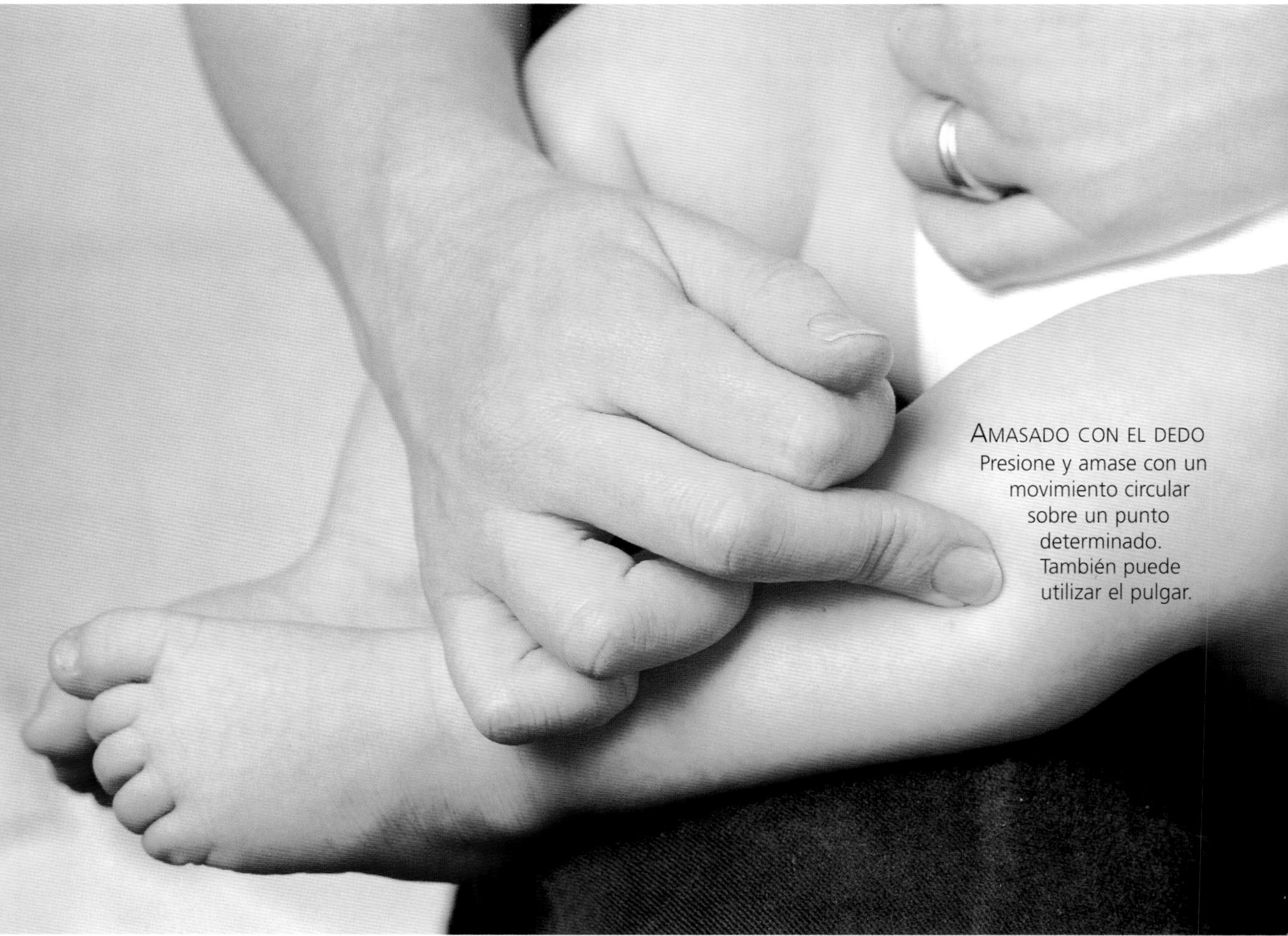

AMASADO CON EL DEDO
Presione y amase con un movimiento circular sobre un punto determinado. También puede utilizar el pulgar.

El amasado consiste en realizar una presión suave con movimiento. La mano no debe deslizarse sobre la piel como en la fricción, sino mover la piel sobre los tejidos subcutáneos. El movimiento puede ser de un lado a otro, o circular.

Esta técnica se emplea para estimular los puntos Qi, donde puede manipularse el flujo del Qi.

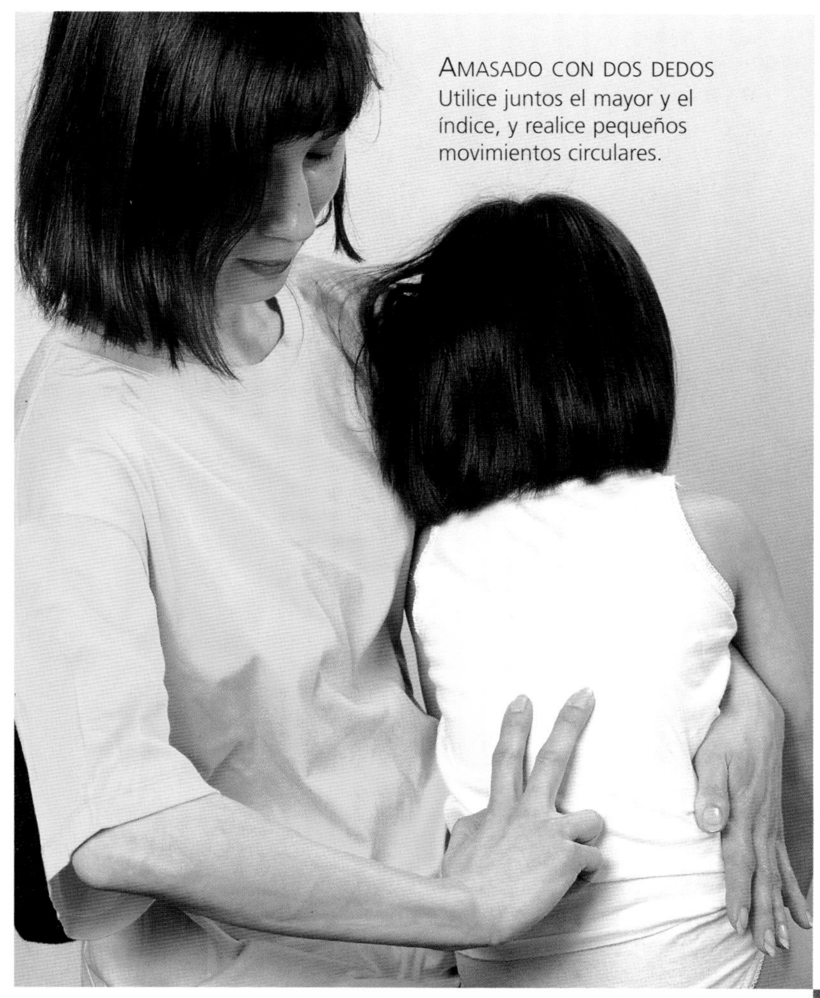

AMASADO CON DOS DEDOS
Utilice juntos el mayor y el índice, y realice pequeños movimientos circulares.

AMASADO CON EL BORDE DE LA PALMA
Para amasar con un movimiento circular en zonas más extensas, emplee el borde de la palma.

Pellizcado

En esta técnica se ejerce presión sobre los tejidos desde direcciones opuestas simultáneamente; por lo general se realiza presionando la piel con el pulgar y los dedos índice y mayor. Con cada pellizco se debe levantar ligeramente la piel.

PELLIZCAR LA NUCA
Tome la piel con el pulgar y los dedos índice y mayor, y aplique una presión firme, levantando apenas la piel. Comience desde abajo, prosiga hacia arriba y luego vuelva hacia abajo; corra la mano aproximadamente 1 cm hacia arriba o abajo entre cada pellizco. Repita de 10 a 20 veces.

PELLIZCAR LA PIERNA
En los niños mayores, para pellizcar los brazos y las piernas se puede emplear toda la mano; en los bebés se utilizan el pulgar y los dedos índice y mayor. Pellizque toda la pierna levantando apenas la piel, corriendo la mano aproximadamente 1 cm después de cada pellizco. Comience desde abajo y prosiga hacia arriba; cuando finalice, vuelva hacia abajo.

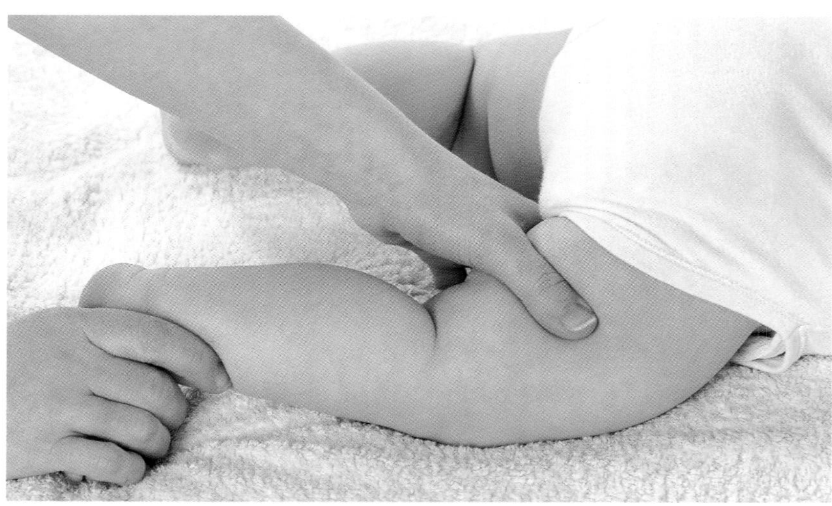

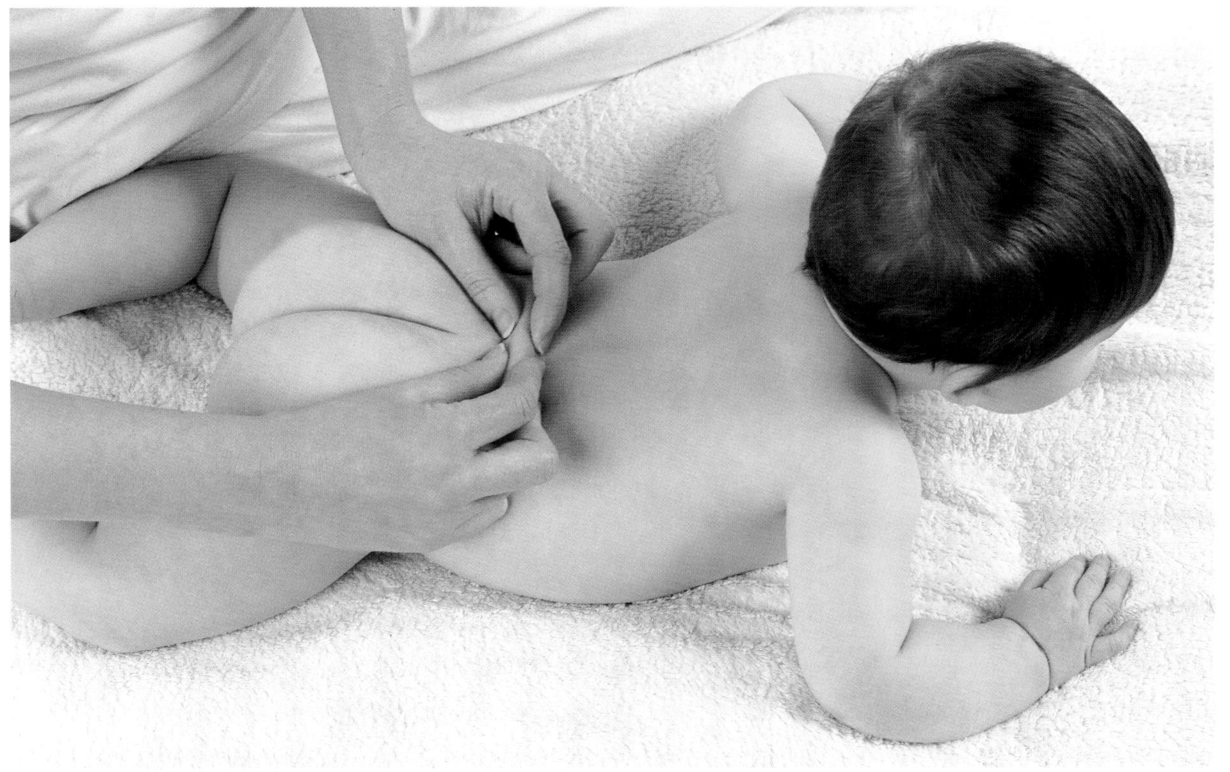

PELLIZCAR LA COLUMNA VERTEBRAL

Comenzando en la base de la columna, pellizque la piel con los pulgares y los dedos mayor e índice, levantándola apenas. Deslice una mano 2 cm hacia arriba, sobre la columna, y repita. Luego lleve la otra mano hasta la anterior y repita otra vez. Continúe de esta forma hacia arriba en toda la columna vertebral.

Advertencia: no emplee esta técnica en bebés menores de dos semanas. En los bebés pequeños, realícela con suavidad.

Capítulo 3

La sesión para el cuidado de la salud

Esta sesión de masaje es única; su objetivo es promover el crecimiento y el sano desarrollo. Está dividida en siete secciones dedicadas a diferentes partes del cuerpo; cada paso de la sesión está claramente explicado e ilustrado. Las notas que figuran junto al ideograma chino del Qi mencionan los beneficios específicos de esa parte de la sesión, y las denominadas "Consejo de tratamiento" dan las instrucciones que se deben seguir cuando determinado paso también puede emplearse para tratar algún trastorno infantil común.

En la mayoría de las fotografías, los niños aparecen sólo con ropa interior para que usted pueda ver claramente los puntos tratados, pero en cada parte de la sesión, el niño puede estar completamente vestido, si usted lo prefiere. En caso de que su hijo esté desnudo, el ambiente de la habitación debe ser cálido y sin corrientes de aire.

Emplee toques suaves pero firmes; si su hijo comienza a inquietarse, masajee con más suavidad y elija otra parte del cuerpo. En caso de que se sienta molesto, suspenda el masaje; los pasos realizados hasta ese momento serán igualmente beneficiosos para él. A medida que su hijo se familiarice con la sesión, aprenderá a reconocer cada paso y a saber cuál será el siguiente.

Para comenzar, procure completar una sección por vez. Cuando adquiera práctica con todas las partes de la sesión, podrá realizarlas en el orden que prefiera. Para lograr óptimos beneficios, realice la sesión completa una o dos veces por semana.

Manos y dedos

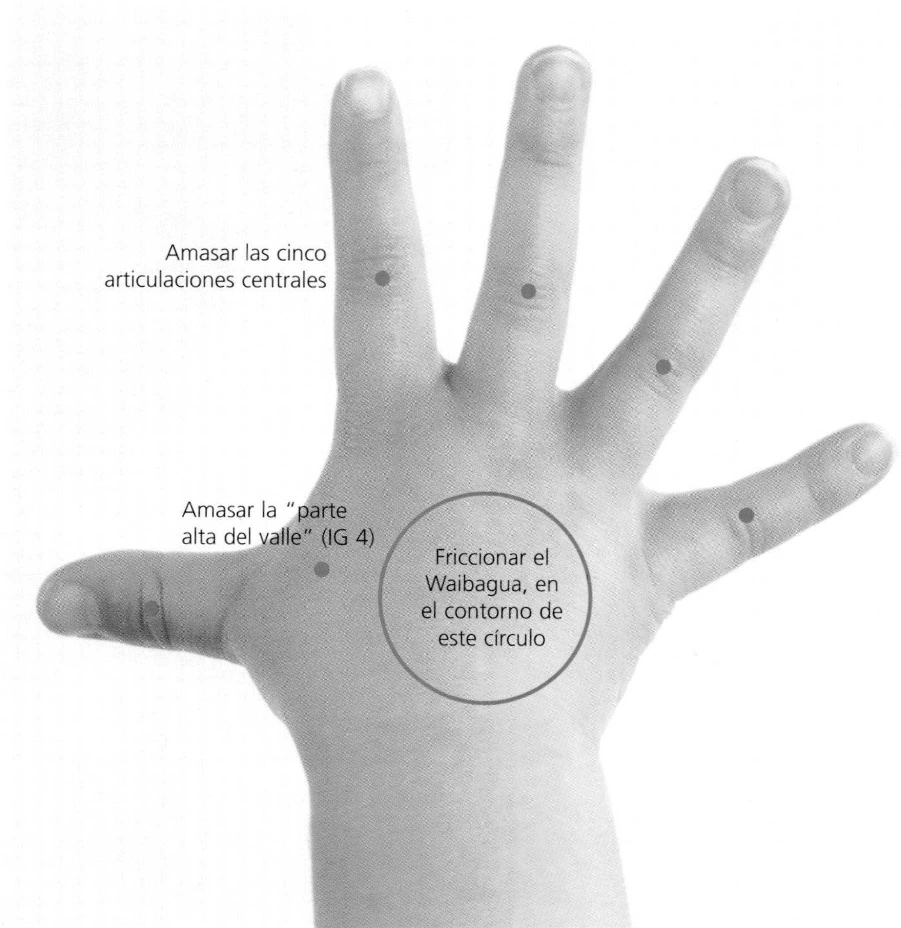

En esta parte de la sesión de masaje para el cuidado de la salud, su hijo puede sentarse a su lado o frente a usted, para poder realizar el masaje en la palma y el dorso de las manos. Si es muy pequeño, puede sentarlo en el regazo.

Cuando siga las instrucciones para los pasos de esta sección, tome como referencia las fotografías que están arriba y a la derecha. La situación precisa de los puntos Qi y de las zonas tratadas llevan el nombre del paso pertinente.

Primero complete todos los pasos en una mano, y luego repita la secuencia en la otra mano.

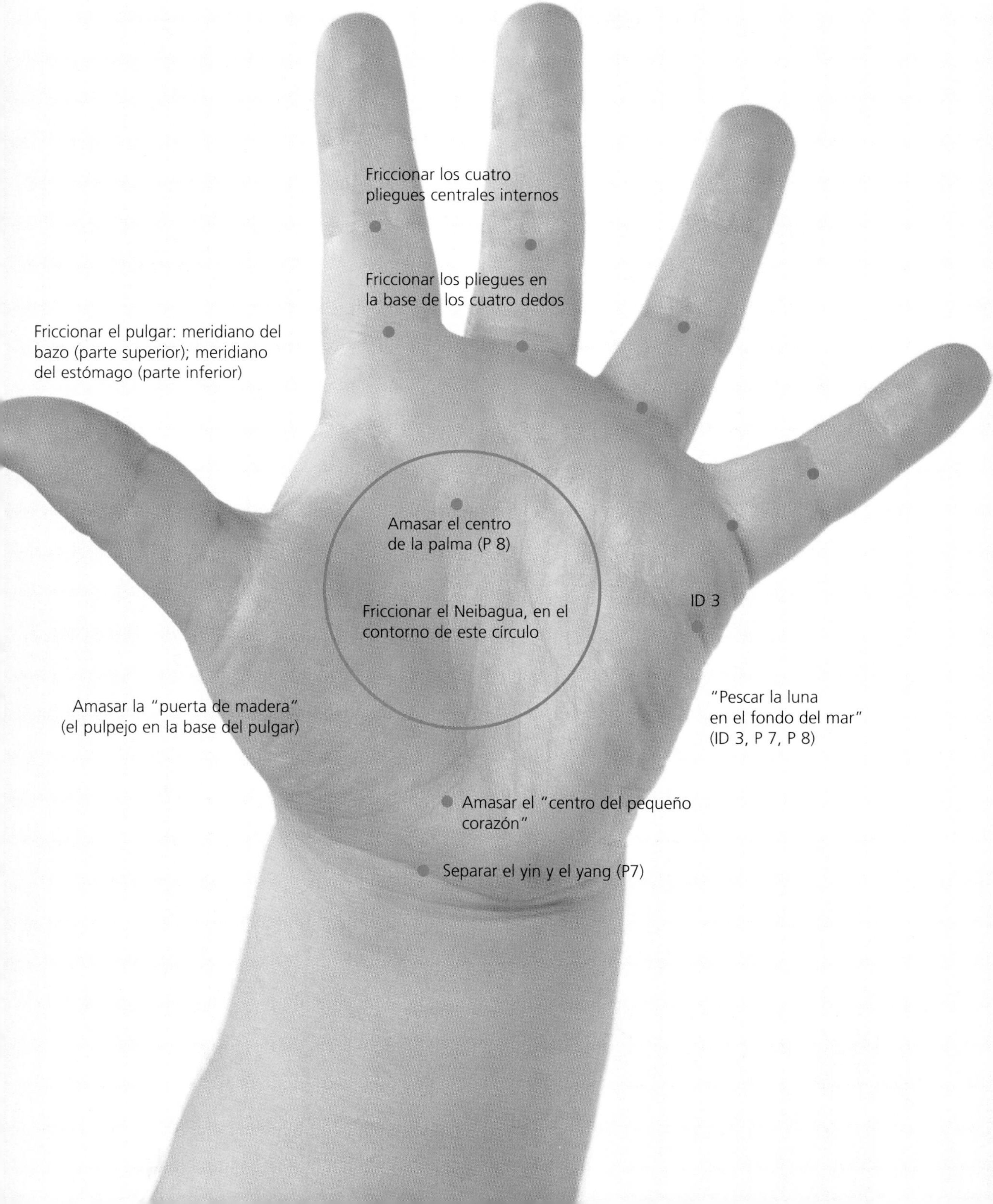

Friccionar los cuatro
pliegues centrales internos

Friccionar los pliegues en
la base de los cuatro dedos

Friccionar el pulgar: meridiano del
bazo (parte superior); meridiano
del estómago (parte inferior)

Amasar el centro
de la palma (P 8)

Friccionar el Neibagua, en el
contorno de este círculo

ID 3

Amasar la "puerta de madera"
(el pulpejo en la base del pulgar)

"Pescar la luna
en el fondo del mar"
(ID 3, P 7, P 8)

Amasar el "centro del pequeño
corazón"

Separar el yin y el yang (P7)

FRICCIONAR EN LOS DEDOS LOS MERIDIANOS DE LOS ÓRGANOS

Sostenga la mano del niño con la palma hacia arriba, frente a usted. Friccione la palma y los dedos empleando toda la mano; comience desde el borde inferior de la palma. Friccione cada mano 50 veces.

氣

Estimula las energías de los órganos internos

Desarrolla la coordinación física y estimula el sano desarrollo mental

CONSEJO DE TRATAMIENTO

Para tratar la fiebre leve causada por una gripe, friccione en los dedos los meridianos de los órganos 100 veces, y luego dé 5 golpes suaves en la palma.

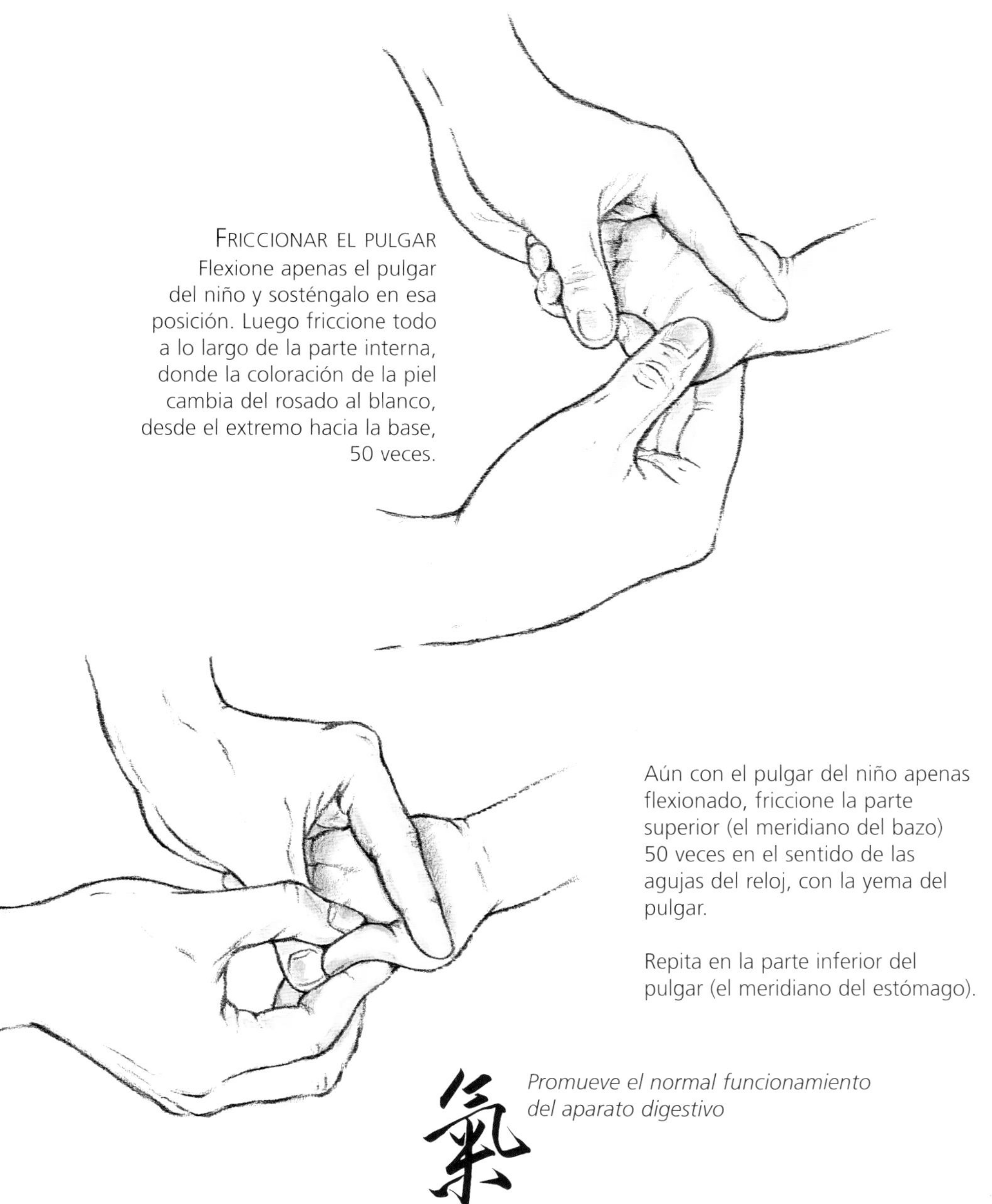

Friccionar el pulgar

Flexione apenas el pulgar del niño y sosténgalo en esa posición. Luego friccione todo a lo largo de la parte interna, donde la coloración de la piel cambia del rosado al blanco, desde el extremo hacia la base, 50 veces.

Aún con el pulgar del niño apenas flexionado, friccione la parte superior (el meridiano del bazo) 50 veces en el sentido de las agujas del reloj, con la yema del pulgar.

Repita en la parte inferior del pulgar (el meridiano del estómago).

氣 *Promueve el normal funcionamiento del aparato digestivo*

Consejo de tratamiento

Para tratar problemas de falta de apetito y baja energía, friccione en forma circular los meridianos del bazo y el estómago de 100 a 300 veces cada uno, en el sentido de las agujas del reloj.

FRICCIONAR EL DEDO ANULAR

Sostenga la mano del niño con la palma hacia arriba y friccione la primera articulación del anular (meridiano del pulmón) 50 veces circularmente en el sentido de las agujas del reloj con el pulgar.

氣 *Refuerza la energía del pulmón*

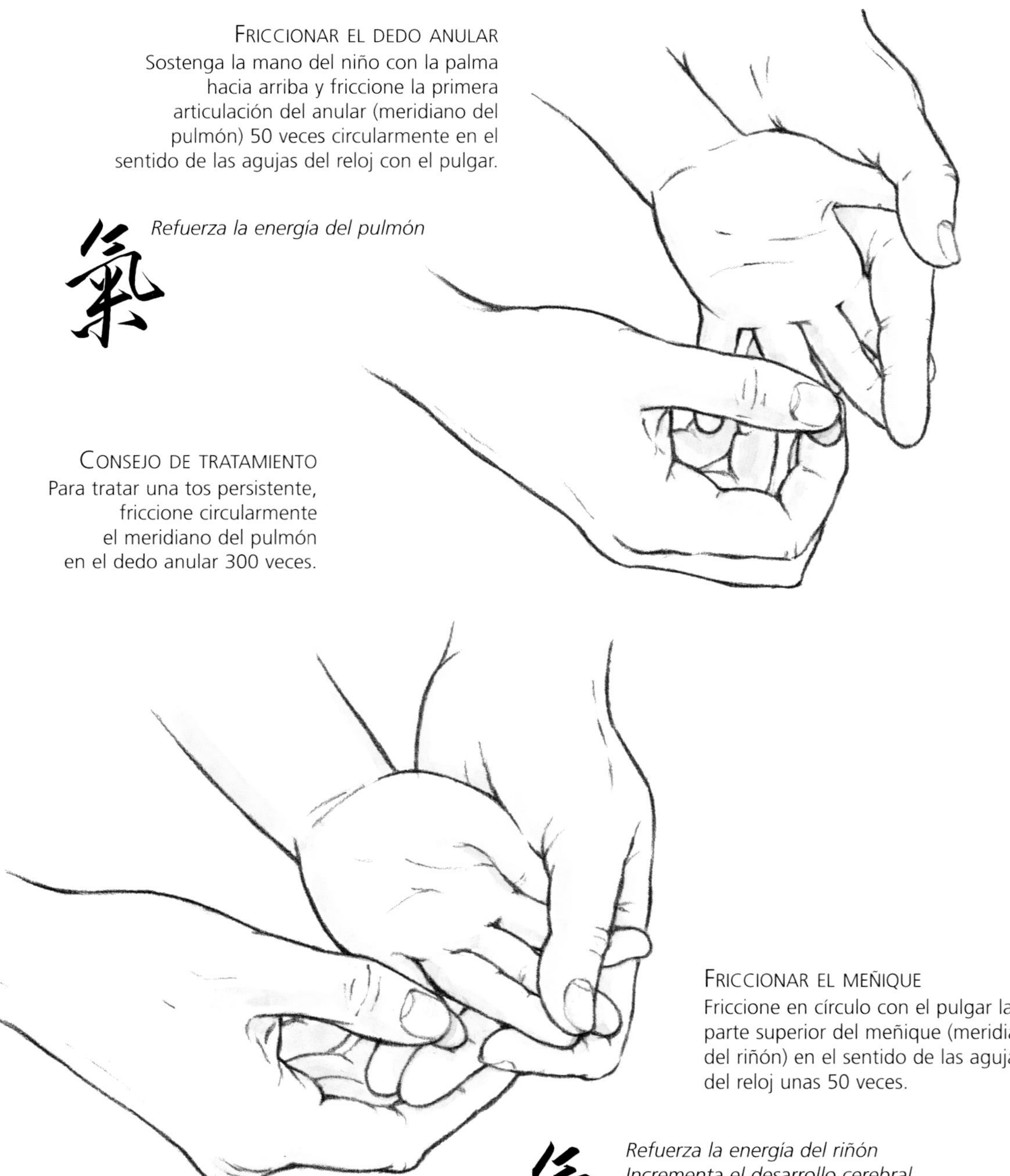

CONSEJO DE TRATAMIENTO

Para tratar una tos persistente, friccione circularmente el meridiano del pulmón en el dedo anular 300 veces.

FRICCIONAR EL MEÑIQUE

Friccione en círculo con el pulgar la parte superior del meñique (meridiano del riñón) en el sentido de las agujas del reloj unas 50 veces.

氣 *Refuerza la energía del riñón*
Incrementa el desarrollo cerebral

Friccionar el Neibagua

El Neibagua es una zona circular situada en el centro de la palma; su radio abarca dos tercios de la distancia que va desde el centro hasta el dedo mayor. Friccione el contorno del Neibagua en el sentido de las agujas del reloj al menos 50 veces.

氣

Refuerza la energía de todos los órganos
Estimula el sistema nervioso central

AMASAR LA PALMA

Sostenga la mano del niño con la palma hacia arriba y los dedos juntos, apenas flexionados. Amase en círculos el punto donde el dedo mayor toca la palma cuando el puño está cerrado (P 8) al menos 30 veces. Si su hijo es muy pequeño, amase con el meñique; si es más grande, emplee el dedo mayor o el pulgar.

Produce un efecto calmante
Contribuye a una buena pauta de sueño

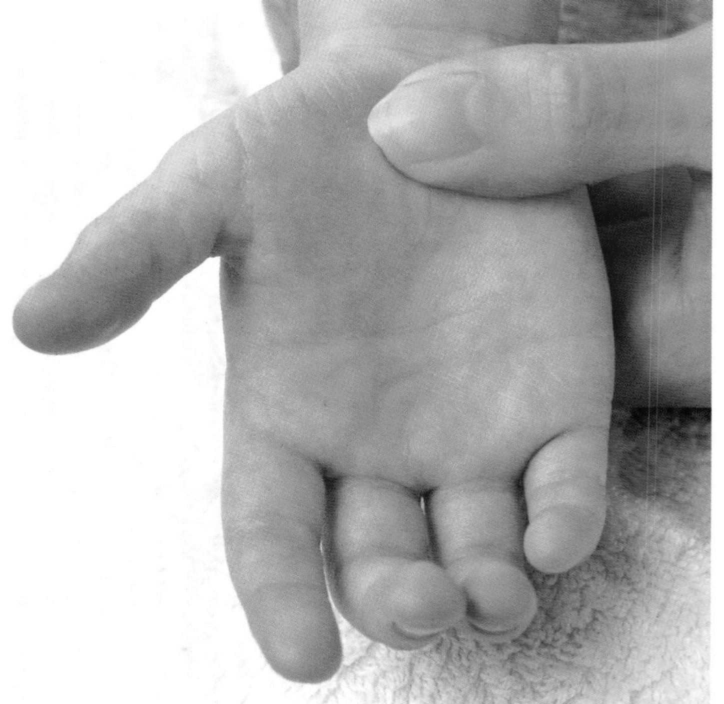

AMASAR EL "CENTRO DEL PEQUEÑO CORAZÓN"

Este punto se encuentra en la palma, en la depresión que está justo encima del centro del pliegue de la muñeca. Amase 50 veces este punto, cuyo nombre en chino es Xiaotianxin.

Calma la mente
Contribuye a una buena pauta de sueño

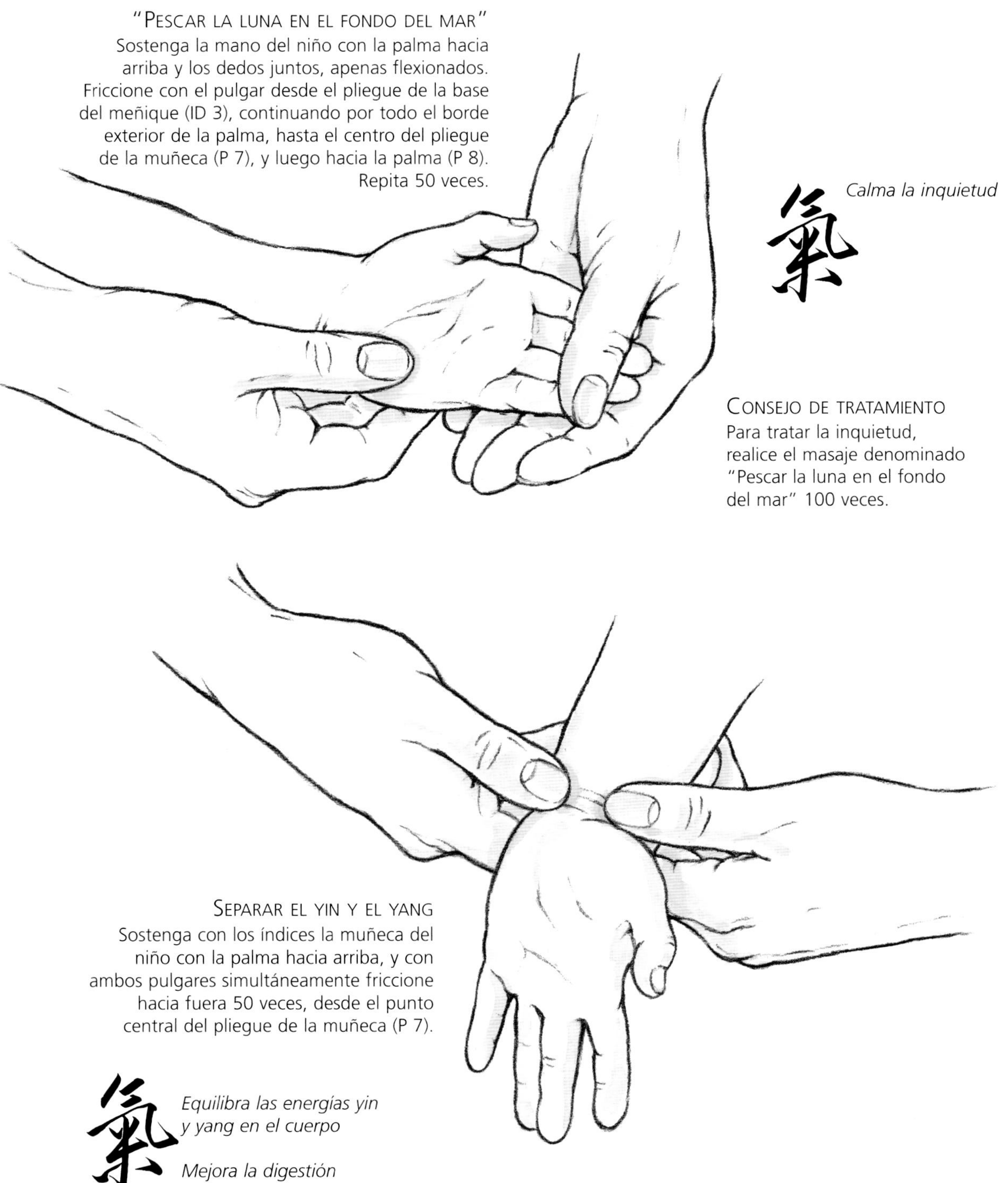

"PESCAR LA LUNA EN EL FONDO DEL MAR"
Sostenga la mano del niño con la palma hacia arriba y los dedos juntos, apenas flexionados. Friccione con el pulgar desde el pliegue de la base del meñique (ID 3), continuando por todo el borde exterior de la palma, hasta el centro del pliegue de la muñeca (P 7), y luego hacia la palma (P 8). Repita 50 veces.

氣 *Calma la inquietud*

CONSEJO DE TRATAMIENTO
Para tratar la inquietud, realice el masaje denominado "Pescar la luna en el fondo del mar" 100 veces.

SEPARAR EL YIN Y EL YANG
Sostenga con los índices la muñeca del niño con la palma hacia arriba, y con ambos pulgares simultáneamente friccione hacia fuera 50 veces, desde el punto central del pliegue de la muñeca (P 7).

氣 *Equilibra las energías yin y yang en el cuerpo*

Mejora la digestión

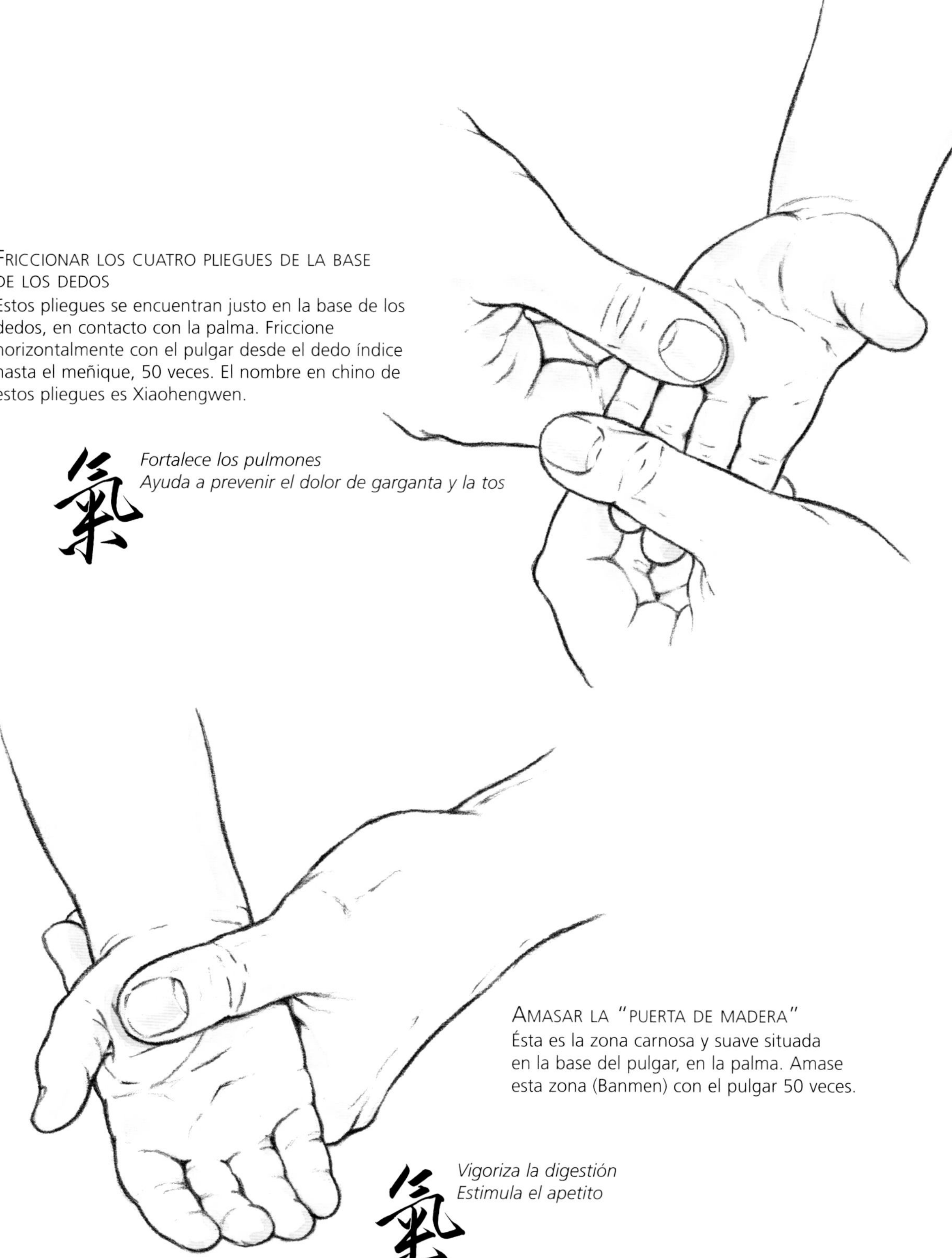

Friccionar los cuatro pliegues de la base de los dedos

Estos pliegues se encuentran justo en la base de los dedos, en contacto con la palma. Friccione horizontalmente con el pulgar desde el dedo índice hasta el meñique, 50 veces. El nombre en chino de estos pliegues es Xiaohengwen.

氣 *Fortalece los pulmones*
Ayuda a prevenir el dolor de garganta y la tos

Amasar la "puerta de madera"

Ésta es la zona carnosa y suave situada en la base del pulgar, en la palma. Amase esta zona (Banmen) con el pulgar 50 veces.

氣 *Vigoriza la digestión*
Estimula el apetito

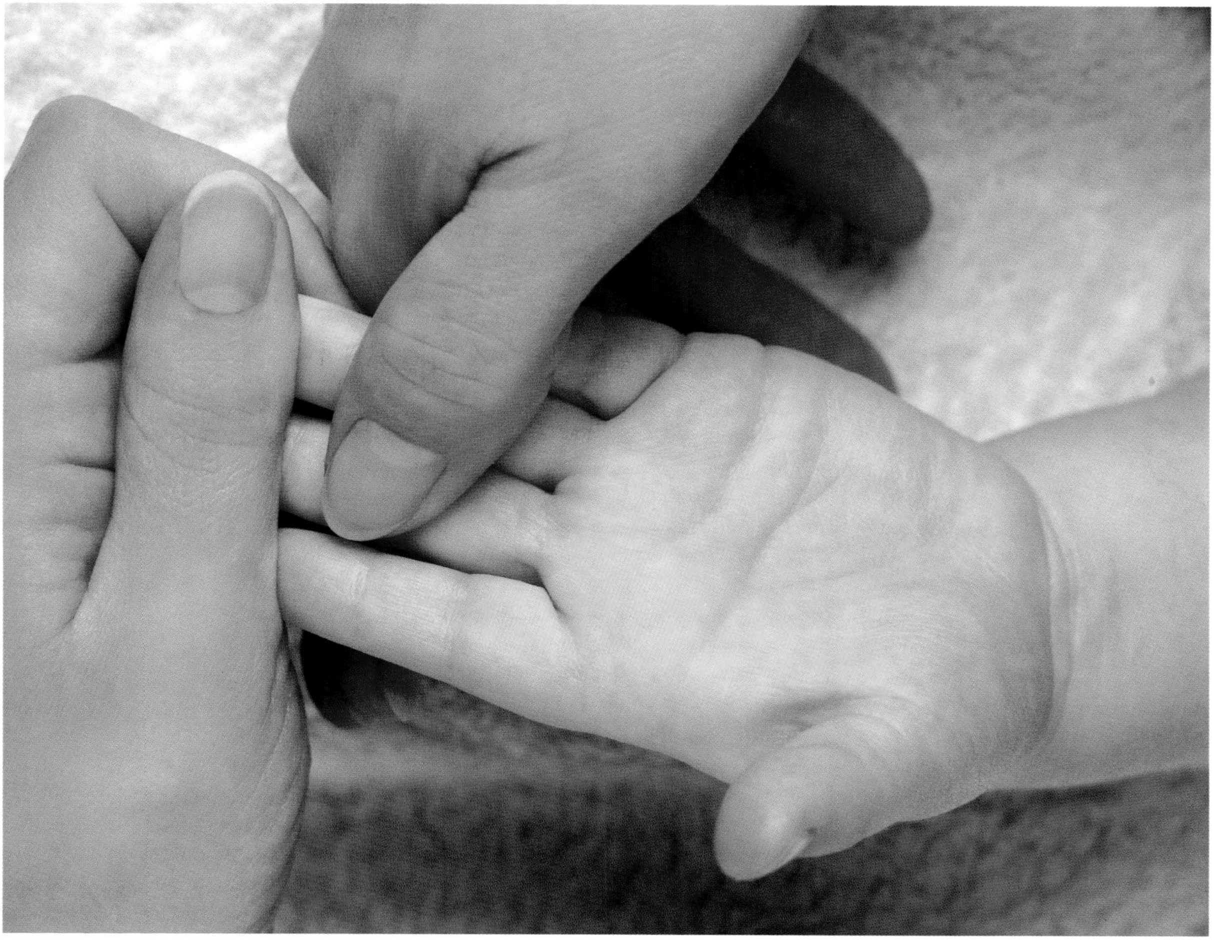

FRICCIONAR LOS CUATRO PLIEGUES CENTRALES

Sostenga la palma del niño hacia arriba y friccione 50 veces en forma horizontal los pliegues centrales internos de los dedos, desde el índice hasta el meñique. Estos pliegues se denominan Sihengwen en chino.

Mejora la digestión

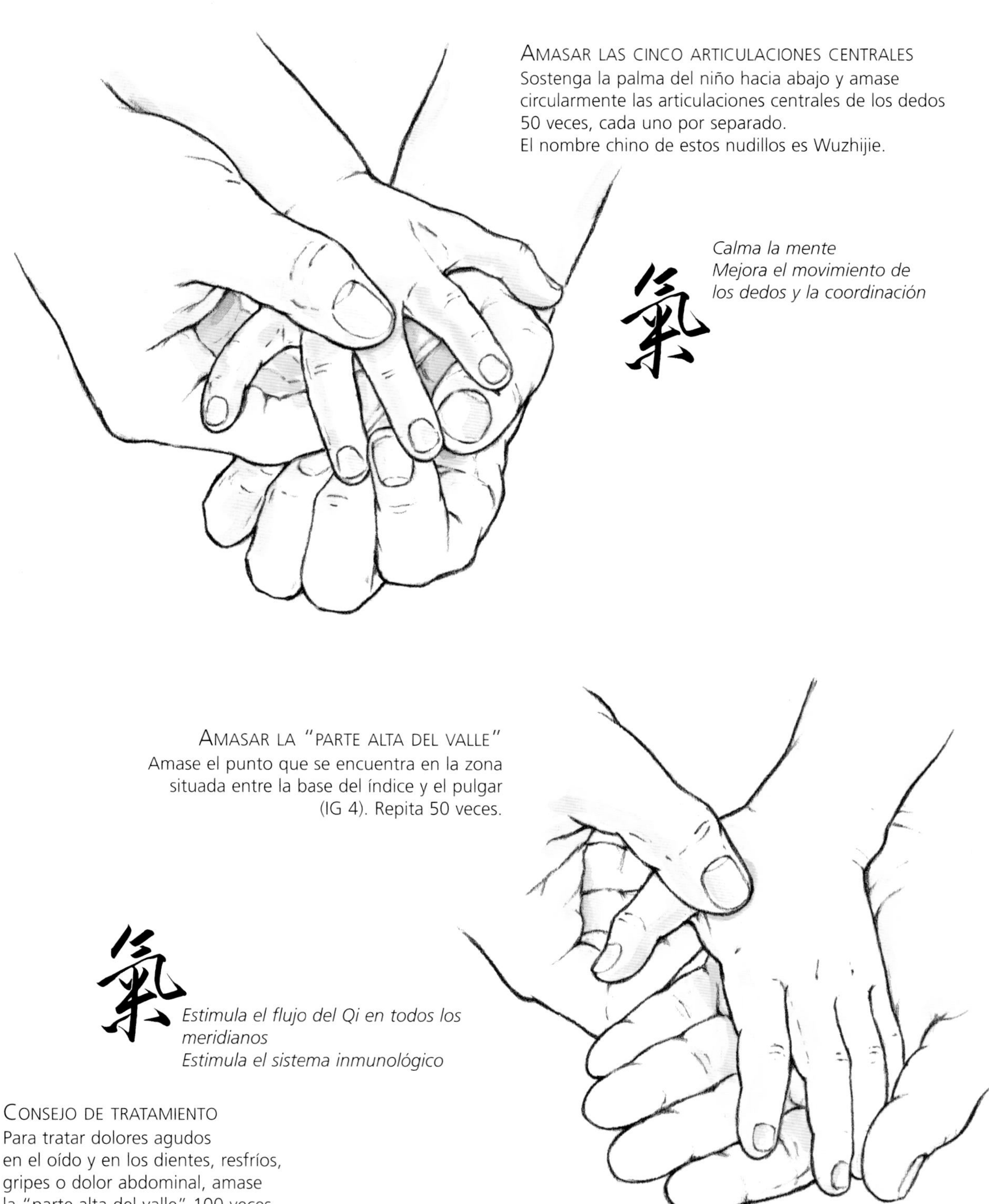

Amasar las cinco articulaciones centrales

Sostenga la palma del niño hacia abajo y amase circularmente las articulaciones centrales de los dedos 50 veces, cada uno por separado.
El nombre chino de estos nudillos es Wuzhijie.

Calma la mente
Mejora el movimiento de los dedos y la coordinación

Amasar la "parte alta del valle"

Amase el punto que se encuentra en la zona situada entre la base del índice y el pulgar (IG 4). Repita 50 veces.

Estimula el flujo del Qi en todos los meridianos
Estimula el sistema inmunológico

Consejo de tratamiento

Para tratar dolores agudos en el oído y en los dientes, resfríos, gripes o dolor abdominal, amase la "parte alta del valle" 100 veces.

MASAJEAR EL WAIBAGUA

El Waibagua es una zona circular situada en el centro del dorso de la mano, y su radio se extiende hasta el nudillo inferior del dedo mayor. Es el opuesto al Neibagua (véase p. 33). Sostenga la mano del niño con los dedos juntos y friccione el contorno del Waibagua en el sentido de las agujas del reloj 50 veces.

Mejora la circulación sanguínea y la del Qi
Fortalece los pulmones mejorando la respiración

Brazos

En esta parte de la sesión de masaje para el cuidado de la salud, usted debe tener acceso a todo el brazo, desde la muñeca hasta el hombro. Su hijo puede estar de pie de cara a usted o a su lado; si es un bebé, puede sentarlo en el regazo.

Cuando siga las instrucciones para los pasos de esta sección, tome como referencia las fotografías que están a la derecha y en la página siguiente. La situación precisa de los puntos Qi y de las zonas que se deben tratar llevan el nombre del paso pertinente.

Primero complete todos los pasos en un brazo, después repita la secuencia en el otro brazo.

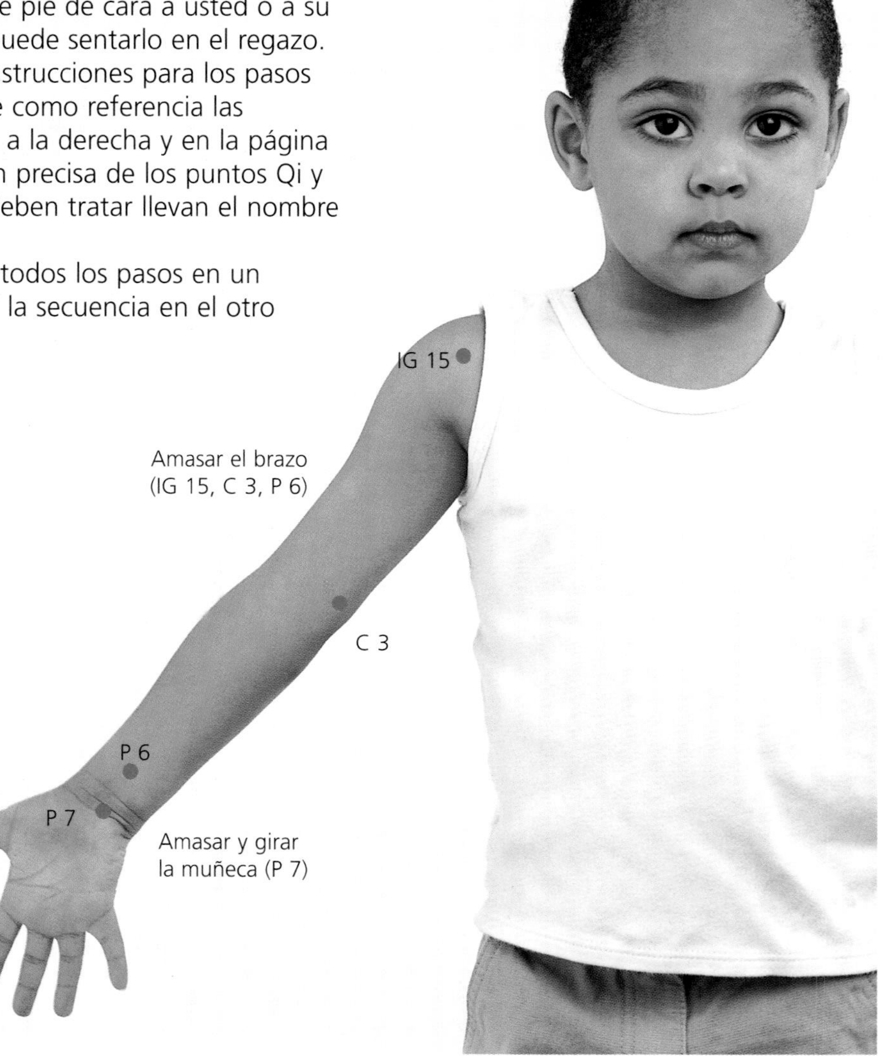

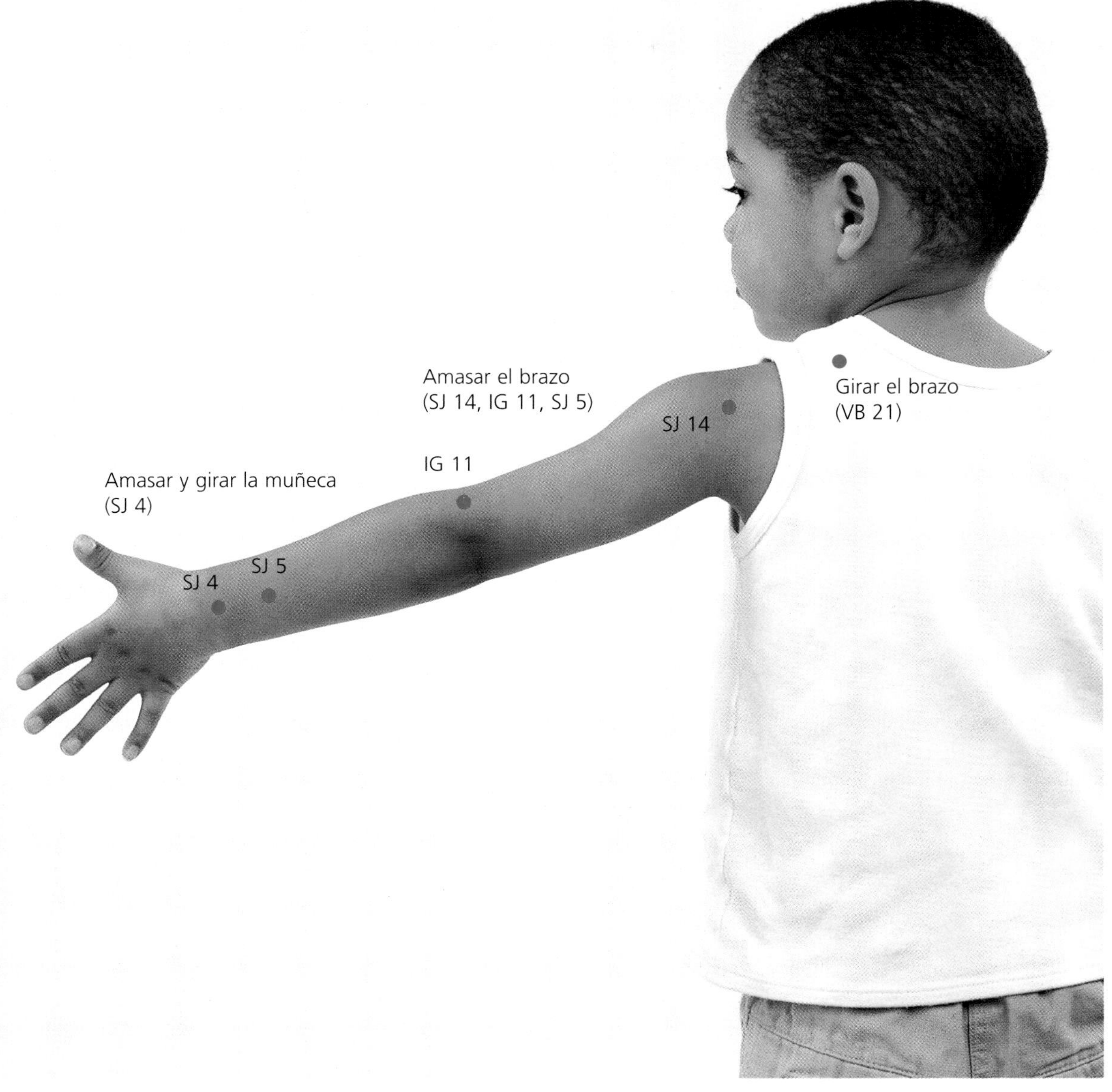
Amasar el brazo
(SJ 14, IG 11, SJ 5)
SJ 14
Girar el brazo
(VB 21)
IG 11
Amasar y girar la muñeca
(SJ 4)
SJ 5
SJ 4

PELLIZCAR EL BRAZO

Levante el brazo del niño sosteniéndolo por la muñeca y con la otra mano pellizque la parte externa del brazo en forma descendente, desde el hombro hasta la muñeca, 5 veces. Luego intercambie la posición de las manos y pellizque toda la parte interna del brazo 5 veces, dirigiéndose hacia abajo. Para pellizcar, utilice el pulgar y dos dedos si se trata de un bebé, o toda la mano si el niño es más grande.

氣 *Estimula el flujo del Qi en los meridianos del brazo*

AMASAR EL BRAZO

Sosteniendo horizontalmente el brazo del niño, coloque el pulgar en la depresión situada en la parte frontal de la articulación del hombro (IG 15). Ponga el dedo mayor en la depresión opuesta, en la parte posterior del hombro (SJ 14). Amase simultáneamente ambos puntos 10 veces.

Ahora amase simultáneamente con el mayor y el pulgar los puntos interno y externo del codo (IG 11 y C 3), 10 veces.

Sitúe el dedo mayor en el centro de la parte inferior de la muñeca, en un punto a unos tres dedos (del niño) del pliegue de la muñeca (P 6). Coloque el pulgar en el punto opuesto, en el dorso de la muñeca (SJ 5), y amase simultáneamente ambos puntos 10 veces.

Sosteniendo la muñeca del niño, friccione la parte externa del brazo suave y rápidamente, de un lado a otro, 5 veces. Repita con la otra mano en la parte interna del brazo.

氣 *Refuerza el sistema inmunológico*
Incrementa la resistencia a la gripe

AMASAR Y GIRAR LA MUÑECA

Sostenga la muñeca del niño con el pulgar en el centro del pliegue externo de la muñeca (SJ 4) y el dedo mayor en el punto opuesto, en la parte interna (P 7). Amase simultáneamente ambos puntos mientras gira suavemente la muñeca con la otra mano, 5 veces en cada dirección.

氣

Fortalece la muñeca
Mejora la destreza manual

GIRAR EL BRAZO

Con una mano, sostenga la muñeca del niño. Con el dedo mayor de la otra mano, presione el punto situado en la parte superior del hombro, a media distancia entre el centro de la nuca y el borde del hombro (VB 21). Luego gire el brazo con suavidad, dibujando un pequeño círculo, 5 veces en cada dirección.

氣

Fortalece los hombros
Favorece el sano desarrollo de tendones y ligamentos

Cara, cabeza y cuello

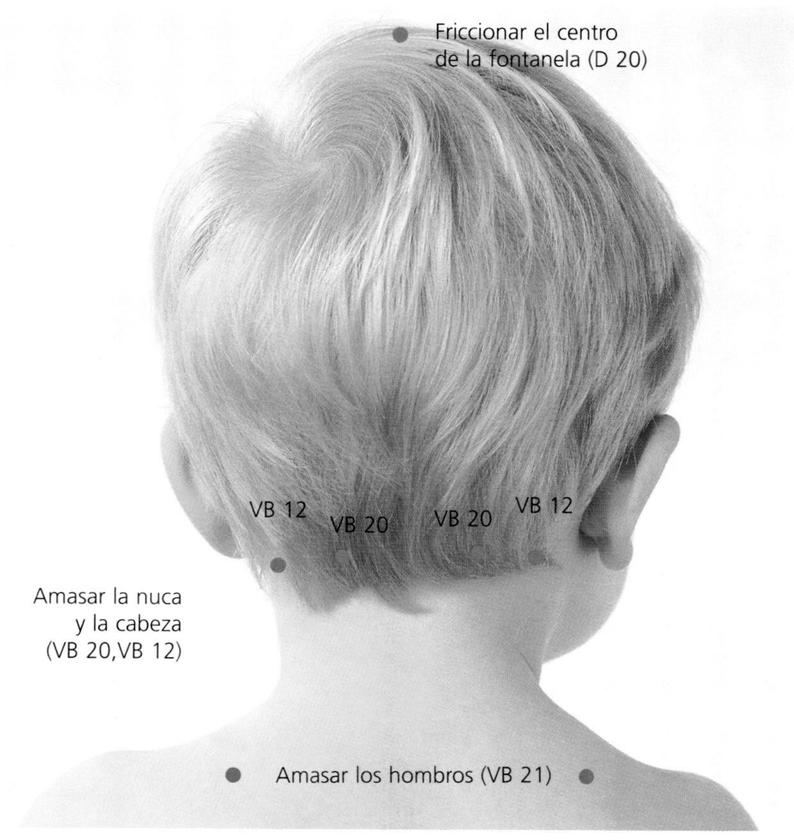

Esta parte de la sesión de masaje para el cuidado de la salud se concentra en la cara, la parte superior y posterior de la cabeza, la nuca y la parte superior del hombro. Para masajear los puntos de la cara, los niños pequeños pueden sentarse en el regazo, mirando hacia adelante; en ese caso es conveniente hacerlo frente a un espejo para ver claramente el punto masajeado, además así el niño podrá observar su imagen. Si su hijo es más grande, puede sentarse frente a usted.

Para masajear la parte posterior de la cabeza y la nuca, los bebés deben estar acostados en el regazo, boca abajo, mientras que los niños mayores pueden sentarse de costado sobre sus rodillas o quedarse de pie.

Cuando siga las instrucciones para los pasos de esta sección, tome como referencia las fotografías que están arriba y a la derecha. La situación precisa de los puntos Qi y de las zonas tratadas llevan el nombre del paso pertinente.

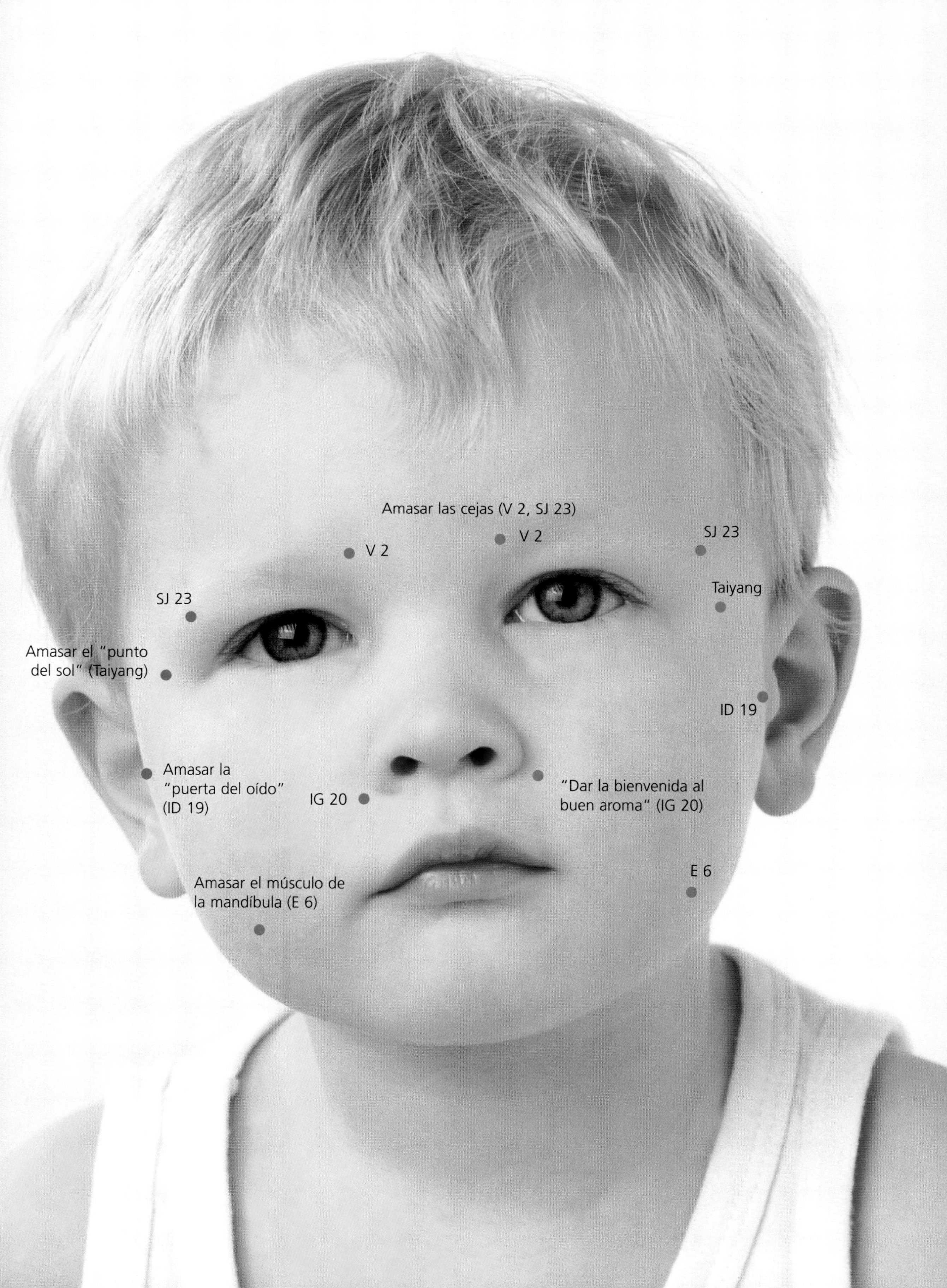
Amasar las cejas (V 2, SJ 23)
V 2
V 2
SJ 23
SJ 23
Taiyang
Amasar el "punto del sol" (Taiyang)
ID 19
Amasar la "puerta del oído" (ID 19)
IG 20
"Dar la bienvenida al buen aroma" (IG 20)
E 6
Amasar el músculo de la mandíbula (E 6)

Empujar la “puerta de la cabeza”

Comience en el punto situado en medio de las cejas y friccione hacia arriba, por la frente y hasta el nacimiento del pelo, usando ambos pulgares en forma alternada, 50 veces. El término la “puerta de la cabeza” es una traducción del ideograma chino Tianmen.

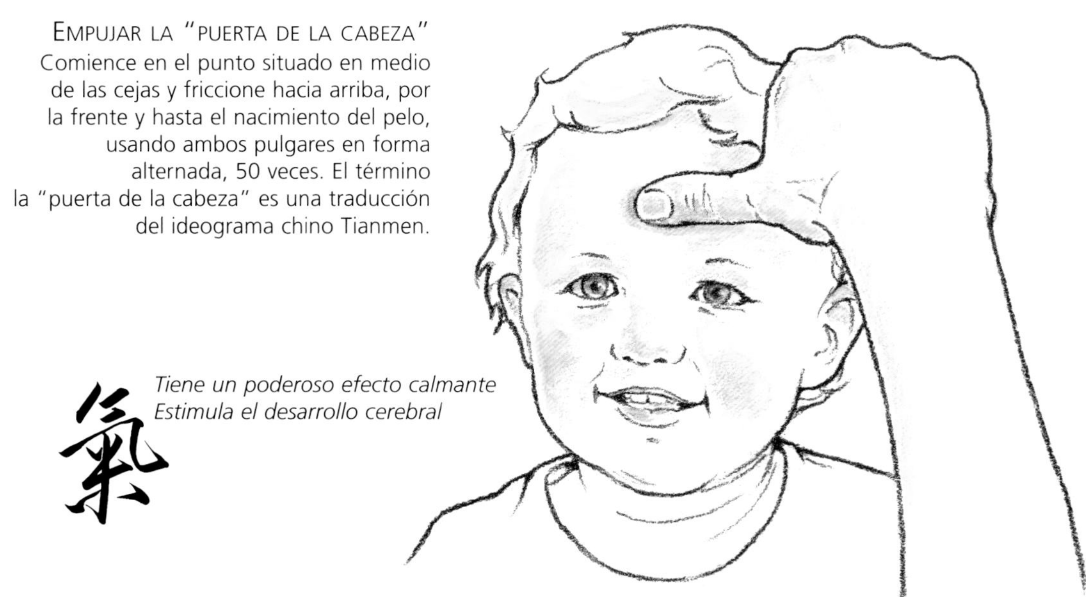

Tiene un poderoso efecto calmante
Estimula el desarrollo cerebral

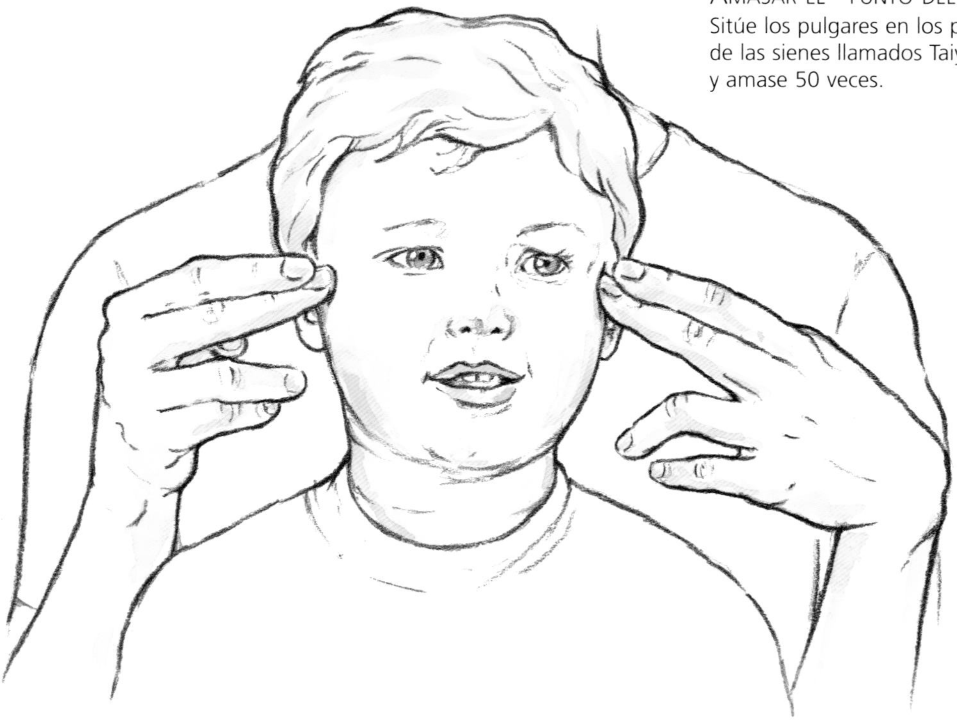

Amasar el “punto del sol”

Sitúe los pulgares en los puntos de las sienes llamados Taiyang y amase 50 veces.

氣

Produce un efecto calmante
Fortalece los ojos
Estimula el desarrollo cerebral

FRICCIONAR LAS CEJAS
Deslice los dedos índice y mayor a lo largo de las cejas del niño, desde el extremo interior (V 2) hasta el exterior (SJ 23). Repita 50 veces. El nombre en chino de las cejas es Meigong.

氣

Promueve la salud de los ojos
Produce un efecto calmante
Estimula el desarrollo cerebral

"Dar la bienvenida al buen aroma"

Con una mano, sostenga la parte posterior de la cabeza del niño. Con las yemas de los dedos mayor e índice de la otra mano, amase los dos puntos situados junto a los orificios nasales (IG 20) 50 veces. Tenga cuidado de no tocar con las uñas.

Previene la gripe
Incrementa el sentido del olfato

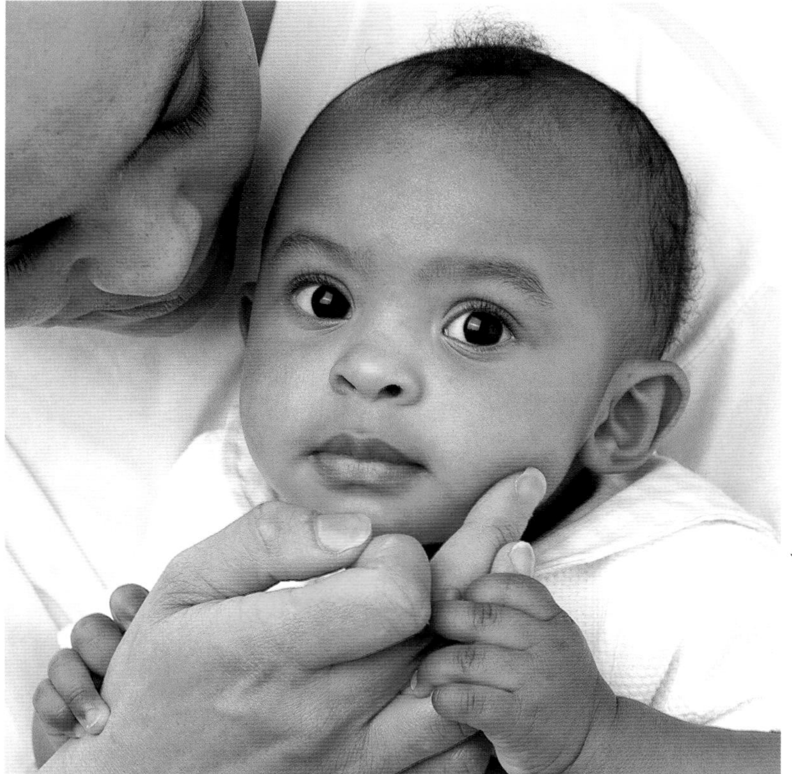

Amasar el músculo de la mandíbula

Localice el punto situado en la mitad del músculo de la mandíbula, justo sobre y frente al maxilar inferior, a la altura del ángulo del hueso (E 6), y amáselo con el dedo mayor 50 veces.

氣

Estimula el sano desarrollo de los músculos faciales y de los maxilares, ayudando a evitar que los dientes se superpongan

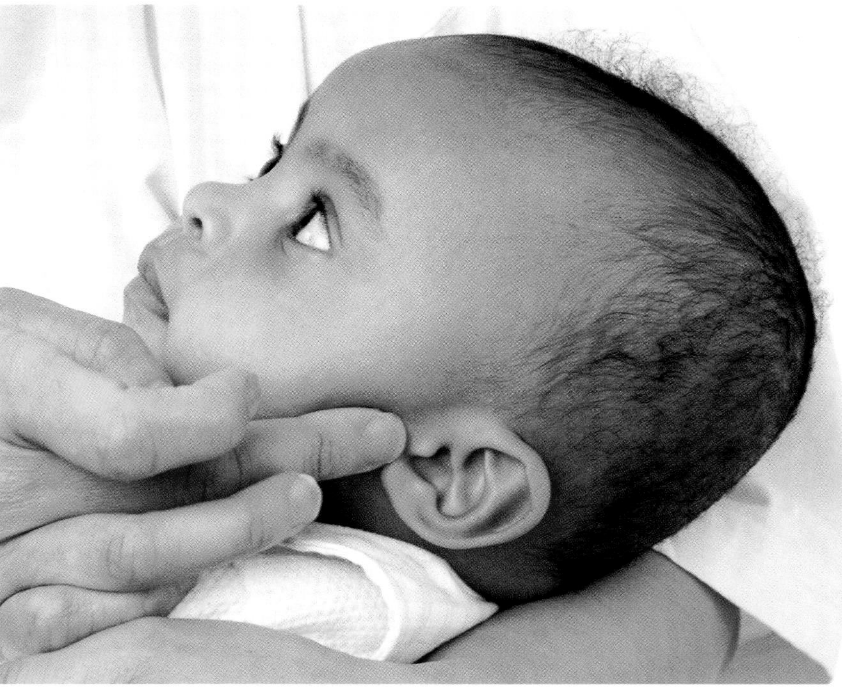

AMASAR LA "PUERTA DEL OÍDO"

El punto denominado "la puerta del oído" (ID 19) está en la depresión situada junto a la oreja. Con los dedos mayores, amase simultáneamente ambos puntos (uno de cada lado) 50 veces.

Ayuda al desarrollo de los oídos y de la audición Fortalece la mandíbula

CONSEJO DE TRATAMIENTO

Para tratar el dolor de oído, amase la "puerta del oído" 100 veces.

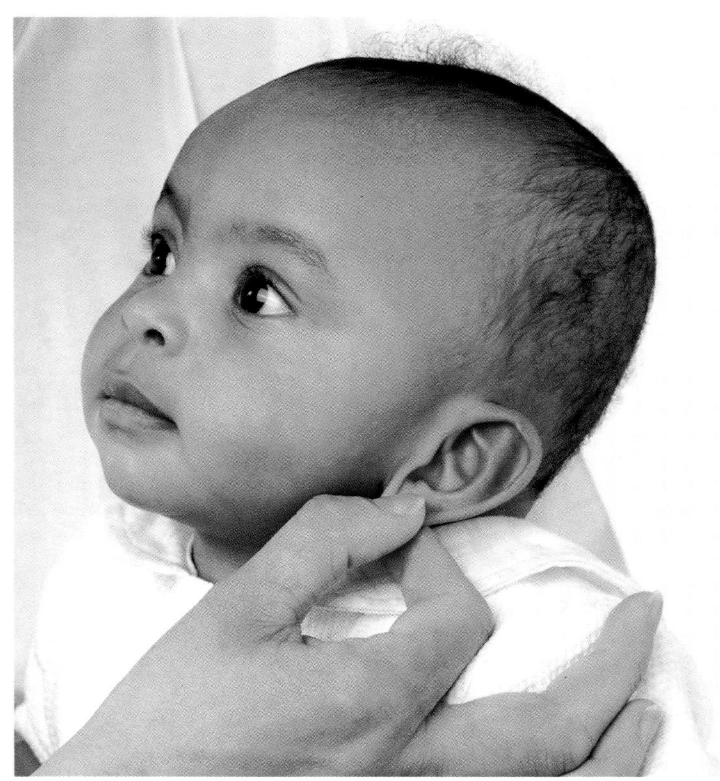

TIRAR DE LAS OREJAS

Sostenga el extremo superior de las orejas con el pulgar y el dedo mayor, y tire suavemente hacia arriba 5 veces. Luego tire los lóbulos hacia abajo 5 veces.

Incrementa la resistencia a la gripe y a las infecciones respiratorias. Estimula el apetito en los bebés

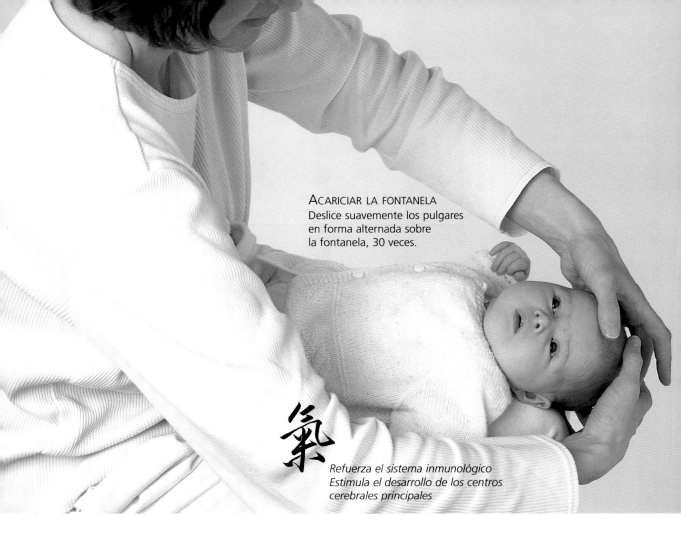

ACARICIAR LA FONTANELA
Deslice suavemente los pulgares en forma alternada sobre la fontanela, 30 veces.

氣

Refuerza el sistema inmunológico
Estimula el desarrollo de los centros cerebrales principales

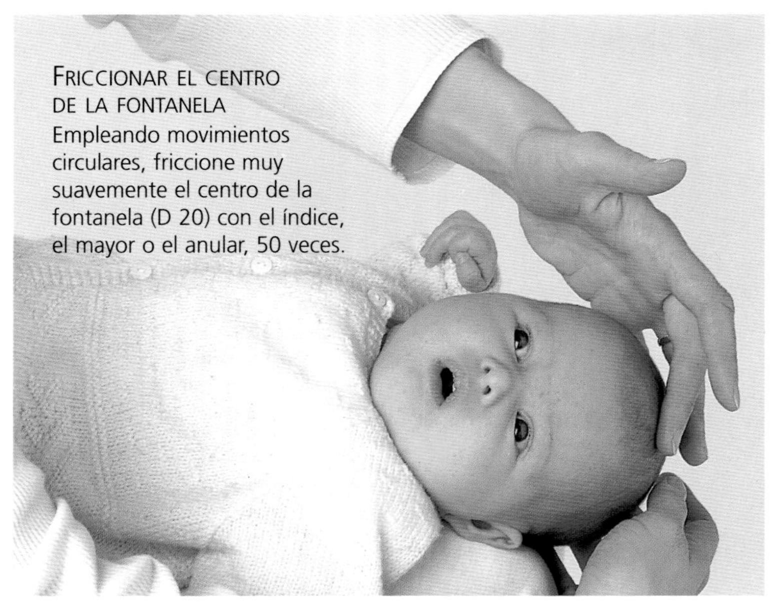

FRICCIONAR EL CENTRO DE LA FONTANELA
Empleando movimientos circulares, friccione muy suavemente el centro de la fontanela (D 20) con el índice, el mayor o el anular, 50 veces.

Estimula el desarrollo de la corteza cerebral
Incrementa la inteligencia, la memoria y el desarrollo del habla

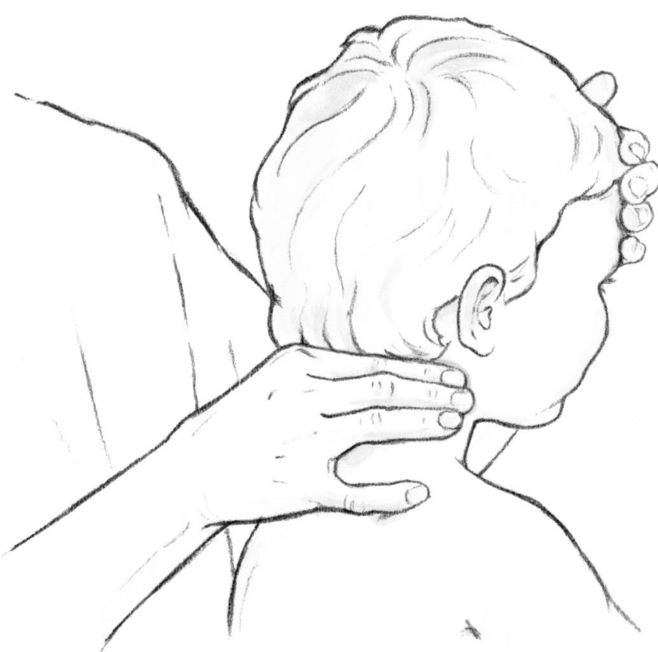

Pellizcar la nuca

Con una mano sostenga la frente del niño, y con la otra pellizque suavemente la nuca hacia arriba y hacia abajo, de 10 a 20 veces. Si su hijo es bebé, pellizque con el pulgar y dos dedos; si es mayor, con el pulgar y los cuatro dedos.

Fortalece el cerebro e incrementa la capacidad de aprendizaje
Previene la gripe

Amasar la nuca y la cabeza

Localice las depresiones situadas en la base del cráneo, a ambos lados del centro de la nuca (VB 20). Amase muy suavemente con el pulgar y el dedo mayor, 50 veces.

Luego, deslice ambos dedos hacia fuera, hasta donde el cráneo se proyecta detrás de las orejas (VB 12). Amase simultáneamente ambos puntos, 50 veces.

Incrementa la resistencia a la gripe
Mantiene el buen estado de los ojos y previene la miopía

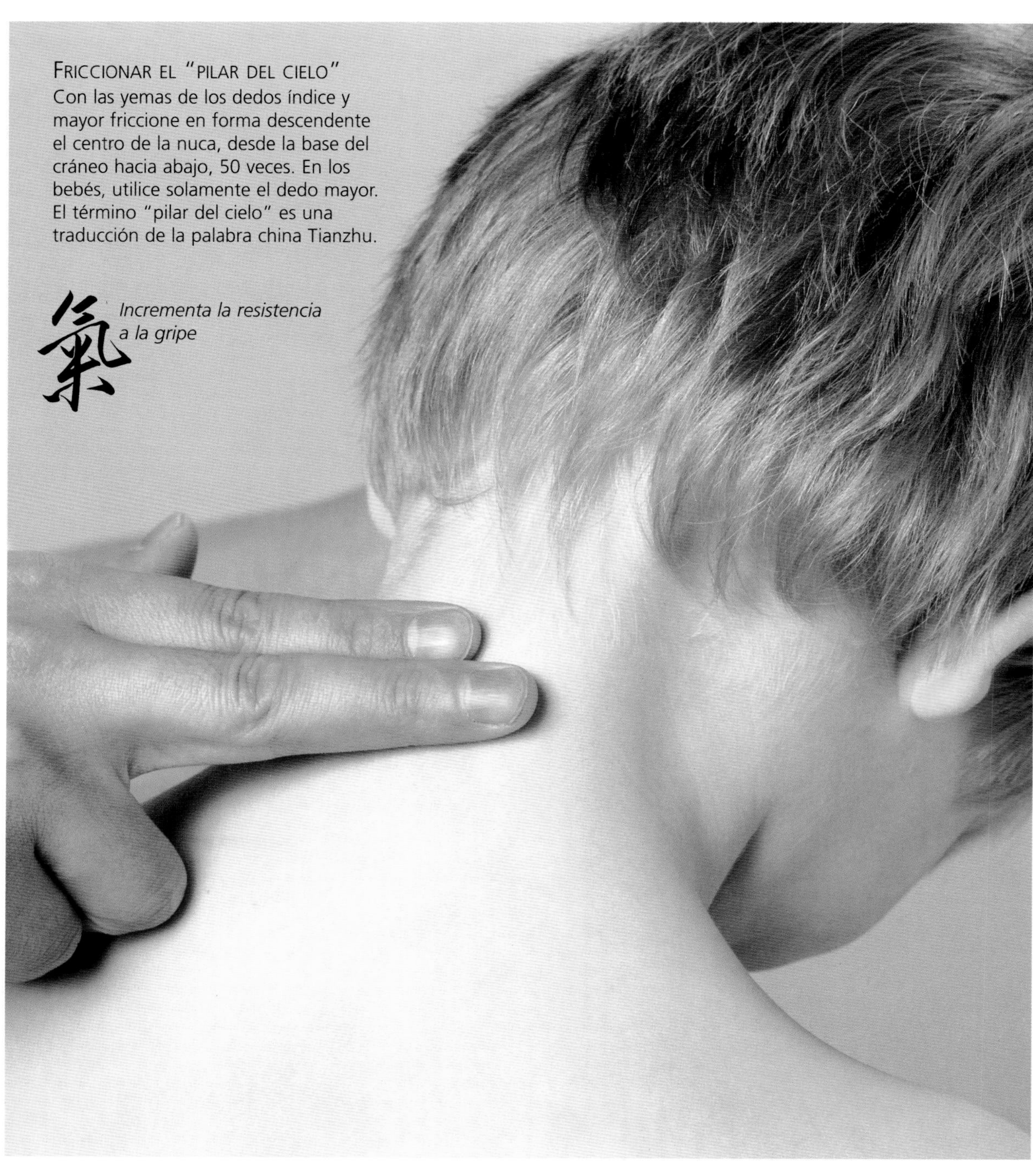

FRICCIONAR EL "PILAR DEL CIELO"
Con las yemas de los dedos índice y mayor friccione en forma descendente el centro de la nuca, desde la base del cráneo hacia abajo, 50 veces. En los bebés, utilice solamente el dedo mayor. El término "pilar del cielo" es una traducción de la palabra china Tianzhu.

氣 *Incrementa la resistencia a la gripe*

Amasar los hombros

Estos puntos (VB 21) están situados en la parte superior de los hombros, a media distancia entre la columna vertebral y el borde del hombro. Amase simultáneamente ambos puntos con los pulgares 50 veces, dejando el resto de los dedos sobre la parte delantera de los hombros.

Para masajear a un bebé, sosténgalo junto a su pecho y amase cada punto por separado, con el dedo mayor.

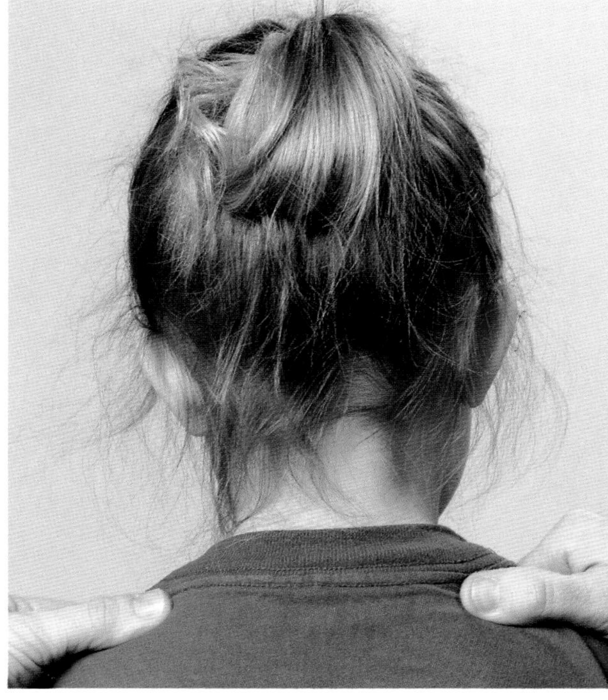

Fortalece los hombros y los brazos; mejora la movilidad

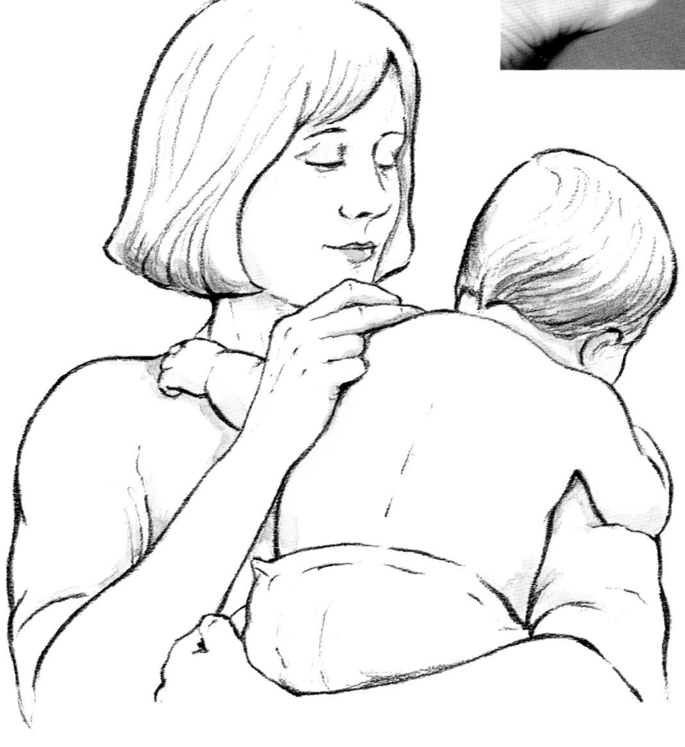

Pecho y vientre

En esta parte del masaje, su hijo probablemente estará más cómodo acostado de espaldas, en la cama; si es un bebé, en el regazo.

Cuando siga las instrucciones para los pasos de esta sección, tome como referencia las fotografías que se ven abajo y a la derecha. La situación precisa de los puntos Qi y de las zonas descritas llevan el nombre del paso pertinente.

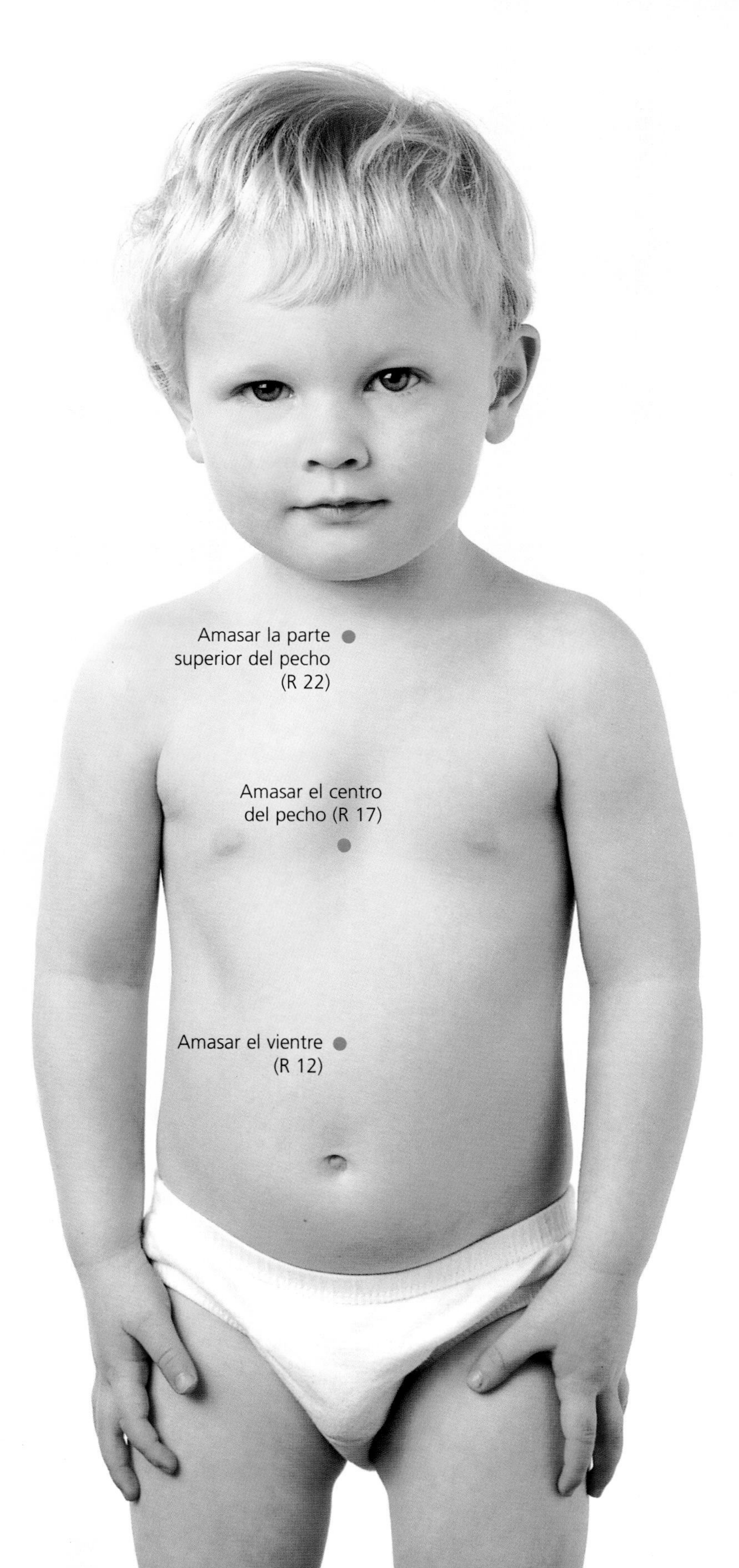
Amasar la parte superior del pecho (R 22)
Amasar el centro del pecho (R 17)
Amasar el vientre (R 12)

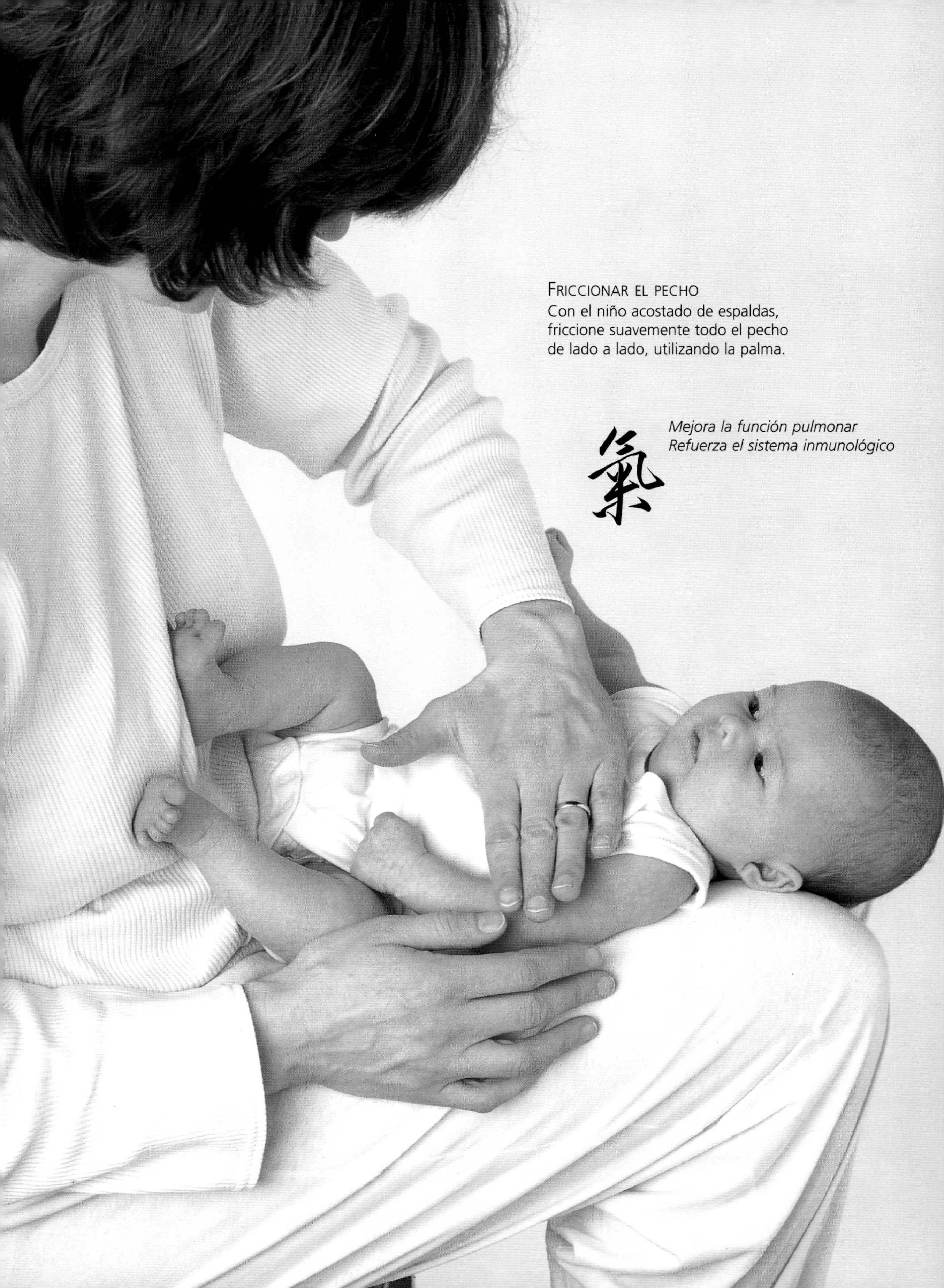

FRICCIONAR EL PECHO
Con el niño acostado de espaldas, friccione suavemente todo el pecho de lado a lado, utilizando la palma.

Mejora la función pulmonar
Refuerza el sistema inmunológico

氣

Amasar la parte superior del pecho

Deslice el dedo por el esternón hasta localizar la depresión situada en la base del cuello (R 22). Amase ese punto con el dedo mayor 50 veces en el sentido de las agujas del reloj.

Luego friccione el esternón de arriba hacia abajo, desde el punto anterior hasta el ombligo, 20 veces, con los dedos índice y mayor juntos.

Incrementa la resistencia al dolor de garganta y a la tos

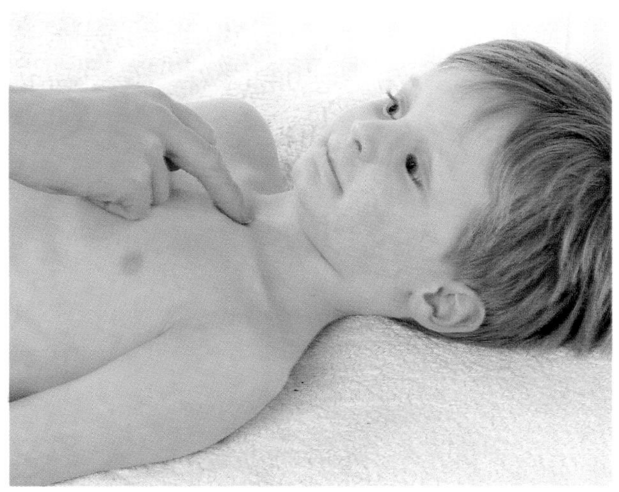

Amasar el centro del pecho

Amase con el dedo mayor el centro del esternón a la altura de las tetillas (R 17), 50 veces en el sentido de las agujas del reloj. Luego friccione hacia fuera con ambos pulgares simultáneamente, desde ese punto hasta las tetillas.

Calma la mente y las emociones
Facilita la respiración

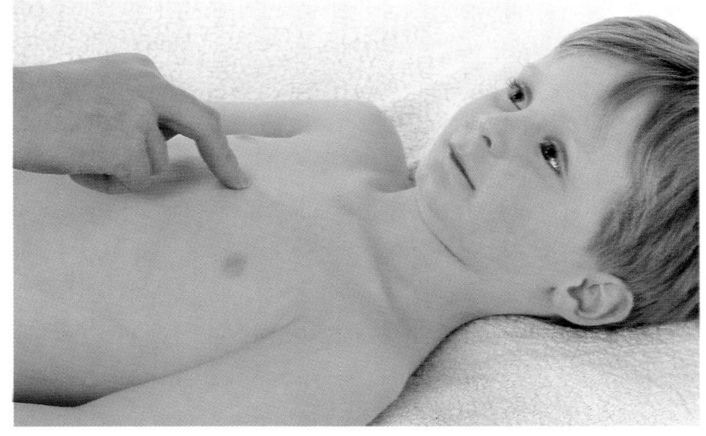

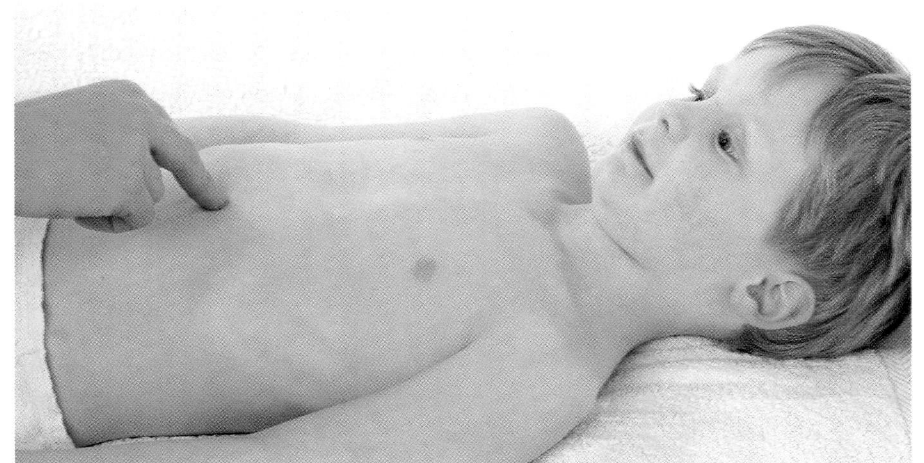

Amasar el vientre

Localice el punto situado a media distancia entre el extremo inferior del esternón y el ombligo, y amáselo (R 12) con los dedos índice y mayor 50 veces en el sentido de las agujas del reloj.

Favorece la digestión
Previene los gases y el hipo

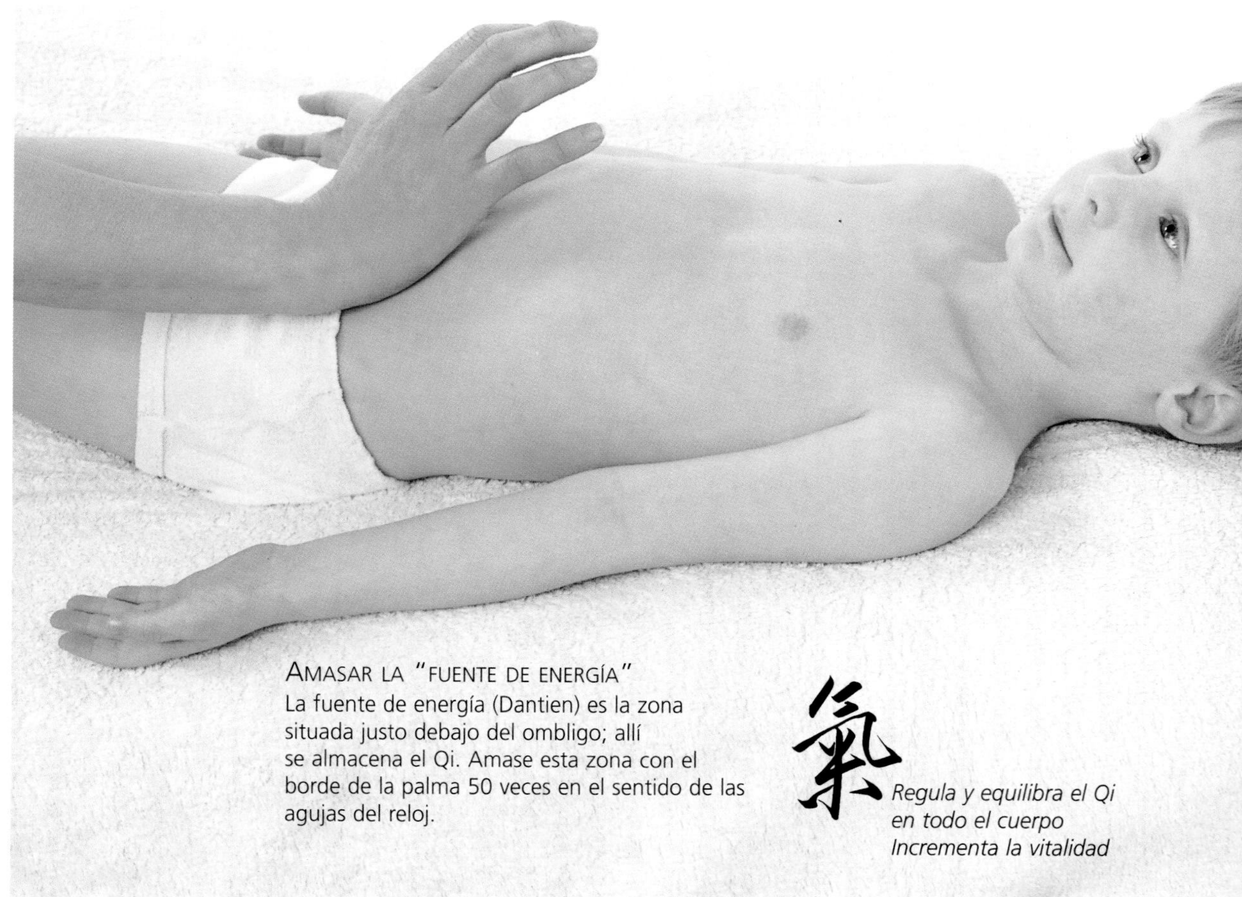

AMASAR LA "FUENTE DE ENERGÍA"
La fuente de energía (Dantien) es la zona situada justo debajo del ombligo; allí se almacena el Qi. Amase esta zona con el borde de la palma 50 veces en el sentido de las agujas del reloj.

氣

Regula y equilibra el Qi en todo el cuerpo
Incrementa la vitalidad

CONSEJO DE TRATAMIENTO
Para tratar el problema de mojar la cama y otros trastornos urinarios, amase la fuente de energía con el borde de la palma 200 veces en el sentido de las agujas del reloj.

Friccionar el vientre

Friccione circularmente en el sentido de las agujas del reloj todo el vientre 30 veces. Si se trata de un bebé, utilice los dedos índice, mayor y anular; si el niño es más grande, toda la palma.

氣 *Favorece el proceso digestivo*
Produce un efecto calmante

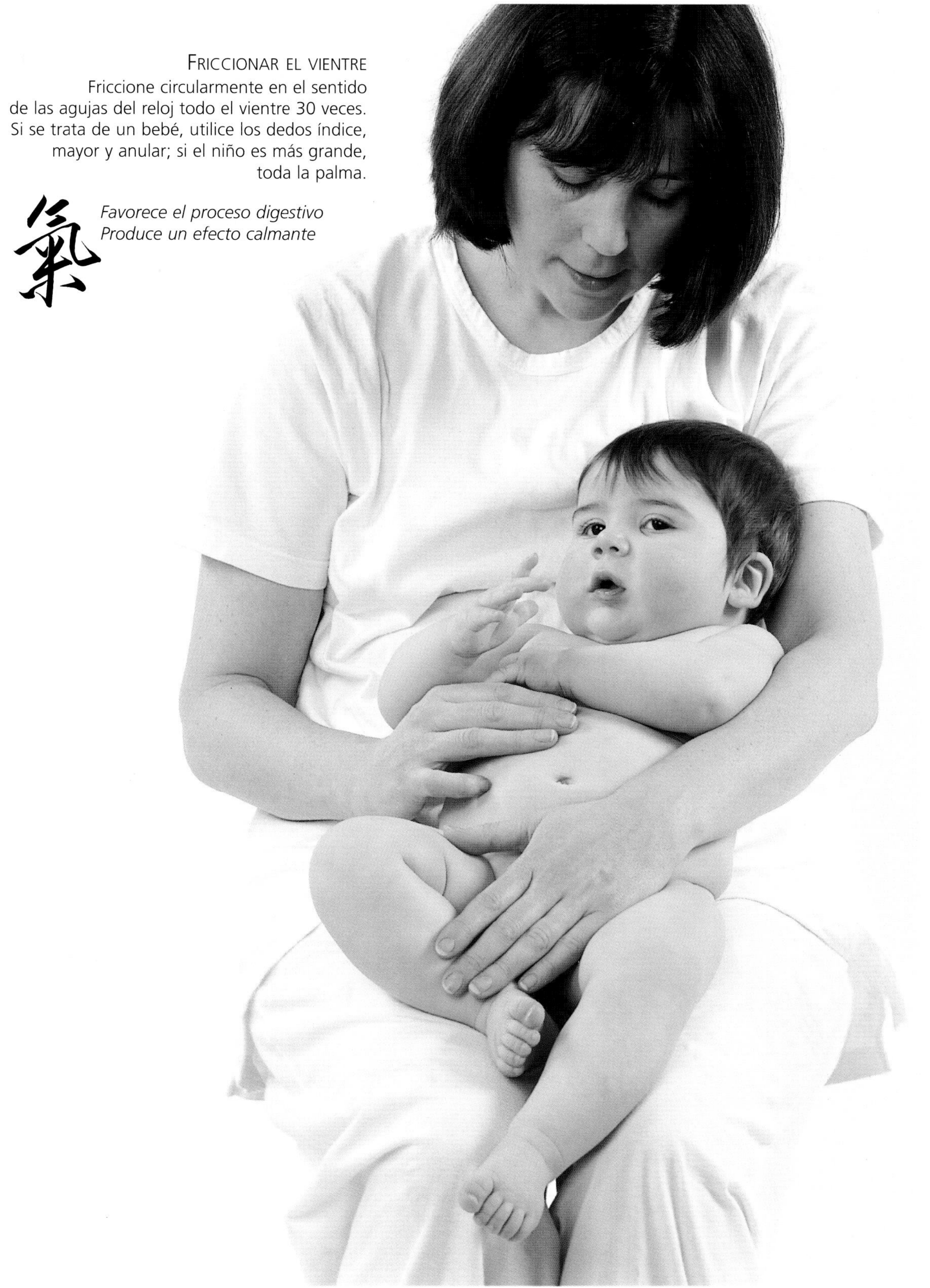

Parte delantera de las piernas y los pies

En esta parte del masaje, su hijo probablemente estará más cómodo acostado de espaldas en la cama. Para los puntos situados en los pies, los niños más pequeños pueden sentarse en el regazo.

Cuando siga las instrucciones para los pasos de esta sección, tome como referencia las fotografías que aparecen abajo y a la derecha. La situación precisa de los puntos Qi y de las zonas que deben tratarse llevan el nombre del paso pertinente.

Primero complete todos los pasos en una pierna, luego repita la secuencia con la otra pierna.

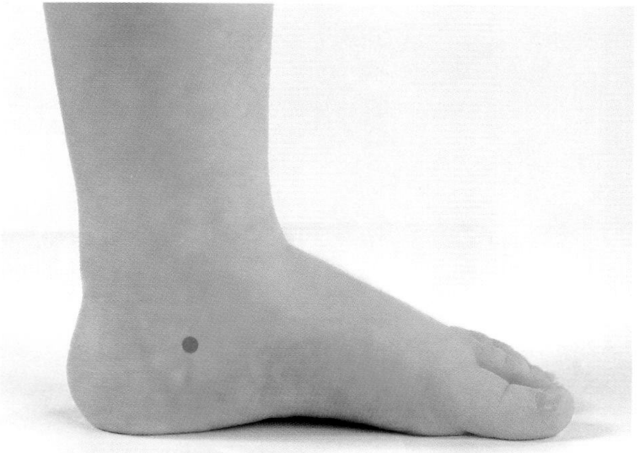

Girar el tobillo (RI 6)

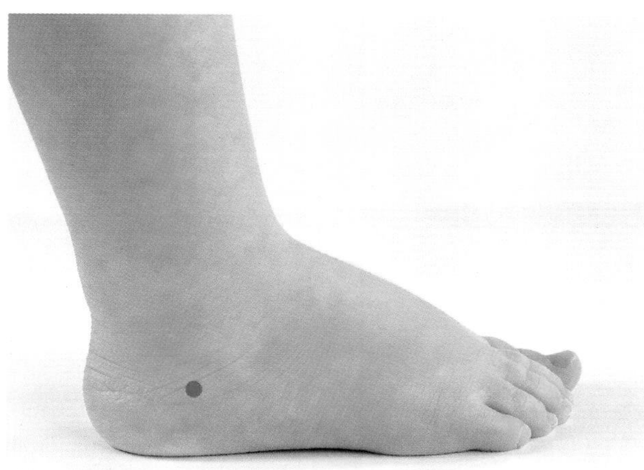

Girar el tobillo (V 62)

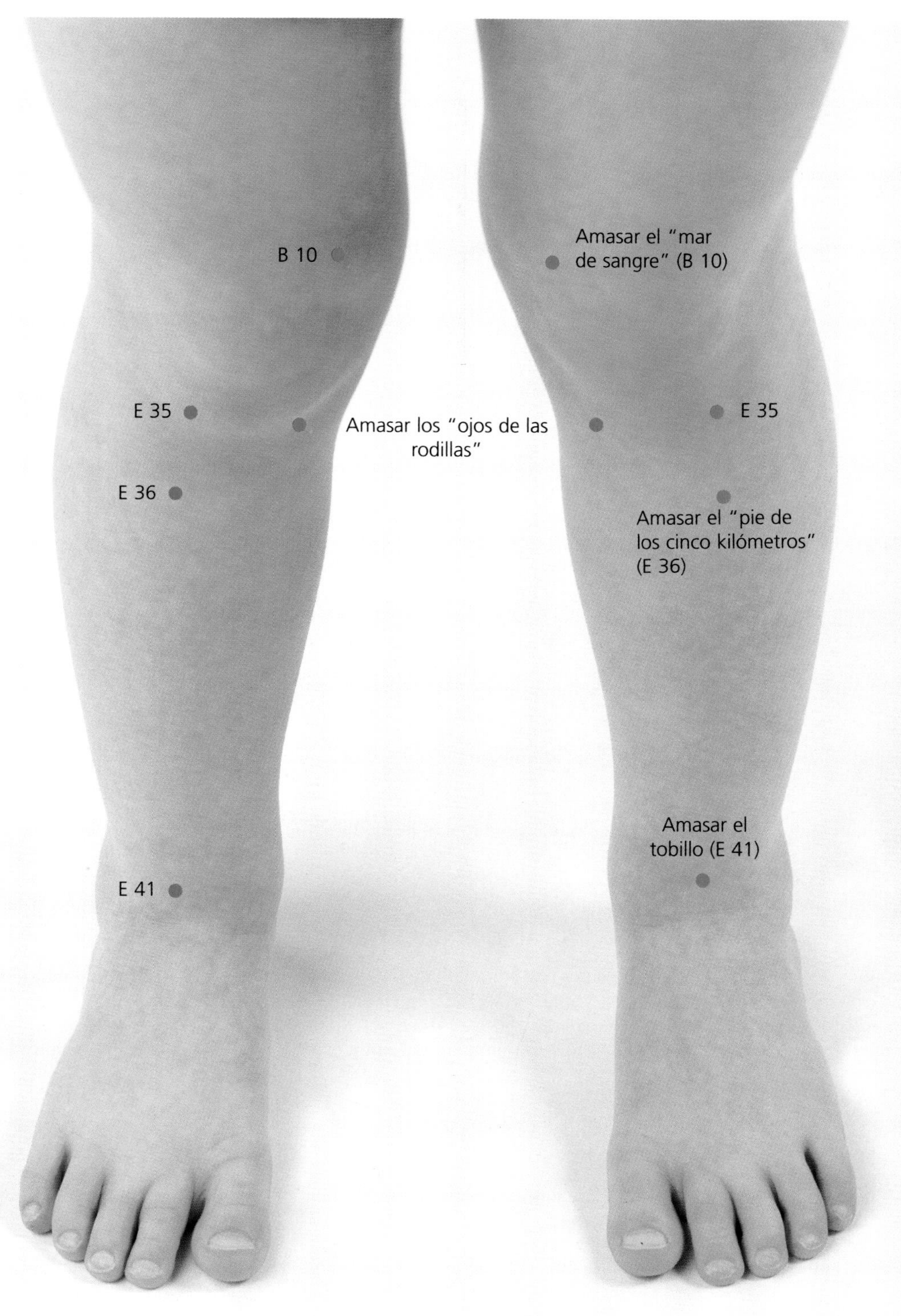
B 10
Amasar el "mar de sangre" (B 10)
E 35
Amasar los "ojos de las rodillas"
E 35
E 36
Amasar el "pie de los cinco kilómetros" (E 36)
Amasar el tobillo (E 41)
E 41

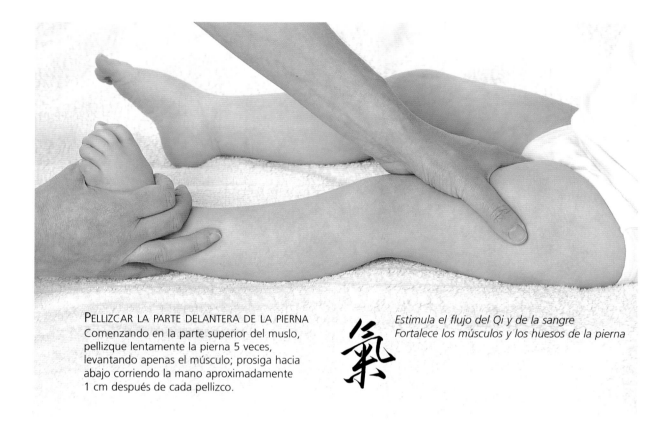

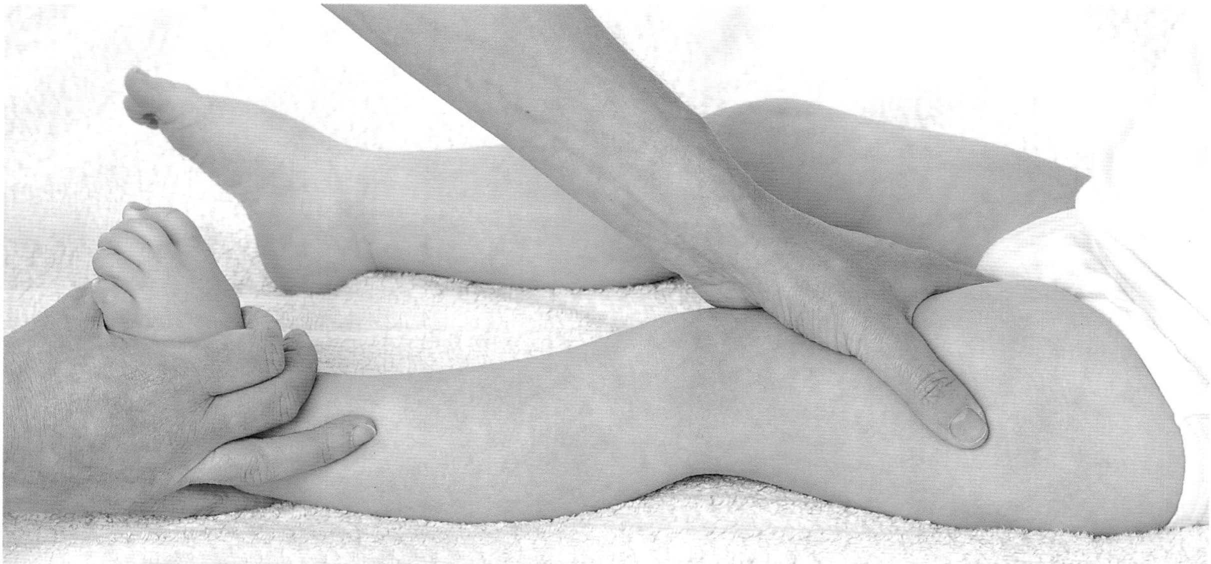

PELLIZCAR LA PARTE DELANTERA DE LA PIERNA

Comenzando en la parte superior del muslo, pellizque lentamente la pierna 5 veces, levantando apenas el músculo; prosiga hacia abajo corriendo la mano aproximadamente 1 cm después de cada pellizco.

Estimula el flujo del Qi y de la sangre
Fortalece los músculos y los huesos de la pierna

AMASAR EL "MAR DE SANGRE"

Este punto, situado en el meridiano del bazo, se denomina así porque, según la medicina china, el bazo absorbe energía de los alimentos para producir la sangre. El "mar de sangre" (B 10) se encuentra dos pulgares (del niño) más arriba de la esquina superior interna de la rótula; amáselo con el dedo mayor 50 veces en el sentido de las agujas del reloj.

Fortalece y desarrolla los músculos
Incrementa la resistencia de la piel a los alérgenos

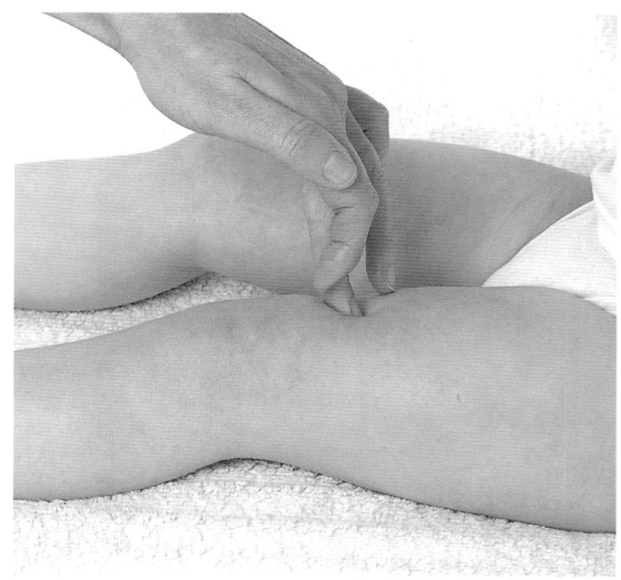

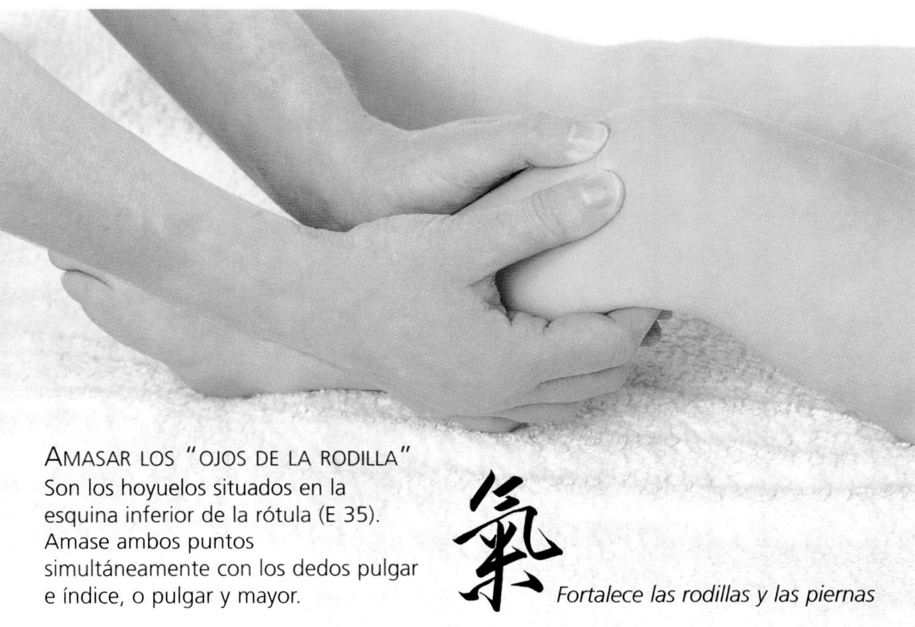

AMASAR LOS "OJOS DE LA RODILLA"
Son los hoyuelos situados en la esquina inferior de la rótula (E 35). Amase ambos puntos simultáneamente con los dedos pulgar e índice, o pulgar y mayor.

氣 *Fortalece las rodillas y las piernas*

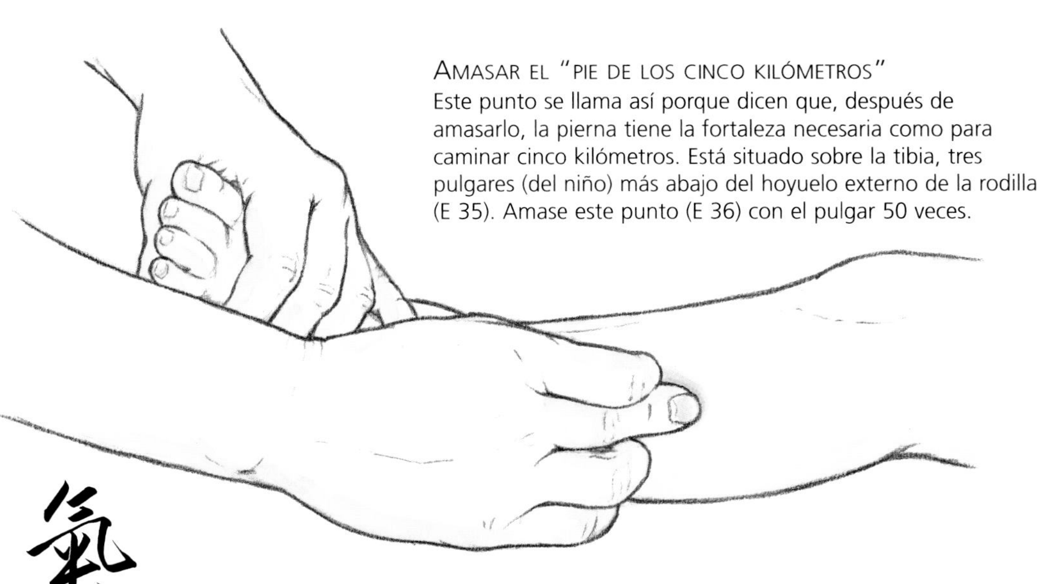

AMASAR EL "PIE DE LOS CINCO KILÓMETROS"
Este punto se llama así porque dicen que, después de amasarlo, la pierna tiene la fortaleza necesaria como para caminar cinco kilómetros. Está situado sobre la tibia, tres pulgares (del niño) más abajo del hoyuelo externo de la rodilla (E 35). Amase este punto (E 36) con el pulgar 50 veces.

氣 *Incrementa la energía en todo el cuerpo y refuerza el sistema inmunológico*
Fortalece el aparato digestivo

FRICCIONAR LA PARTE DELANTERA DE LA PIERNA HACIA ARRIBA Y HACIA ABAJO
Friccione con la palma toda la zona expuesta de la pierna, desde el tobillo hasta el muslo y luego nuevamente hacia abajo, 30 veces (este paso no se muestra en las figuras).

氣 *Estimula el flujo del Qi*
Favorece el flujo sanguíneo y el drenaje linfático

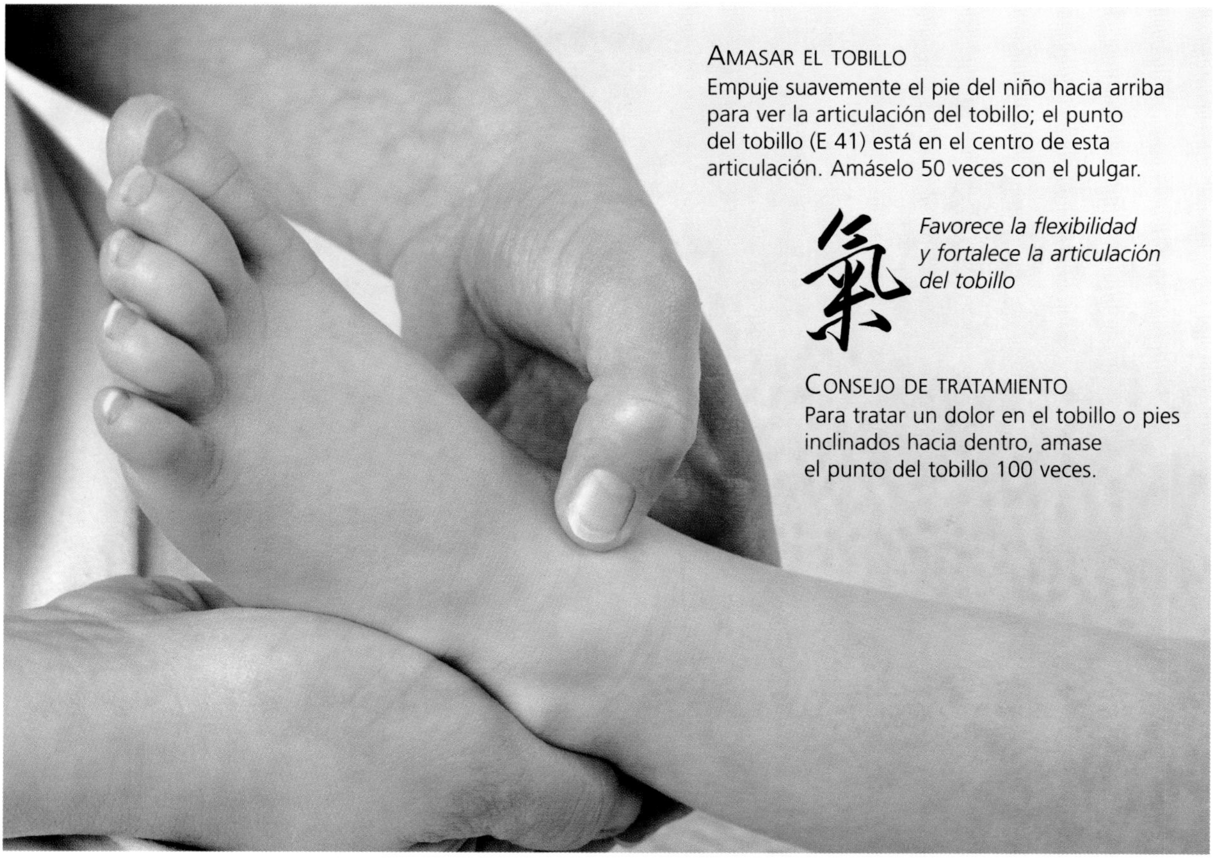

Amasar el tobillo

Empuje suavemente el pie del niño hacia arriba para ver la articulación del tobillo; el punto del tobillo (E 41) está en el centro de esta articulación. Amáselo 50 veces con el pulgar.

Favorece la flexibilidad y fortalece la articulación del tobillo

Consejo de tratamiento

Para tratar un dolor en el tobillo o pies inclinados hacia dentro, amase el punto del tobillo 100 veces.

Girar el tobillo

Tome el pie del niño con la mano, poniendo los dedos índice y pulgar en las depresiones situadas debajo de los huesos de ambos lados del tobillo (RI 6 y V 2). Amase simultáneamente ambos puntos; al mismo tiempo, con la otra mano gire suavemente el pie 5 veces en cada dirección.

Estimula el sano crecimiento de los huesos de pies y tobillos

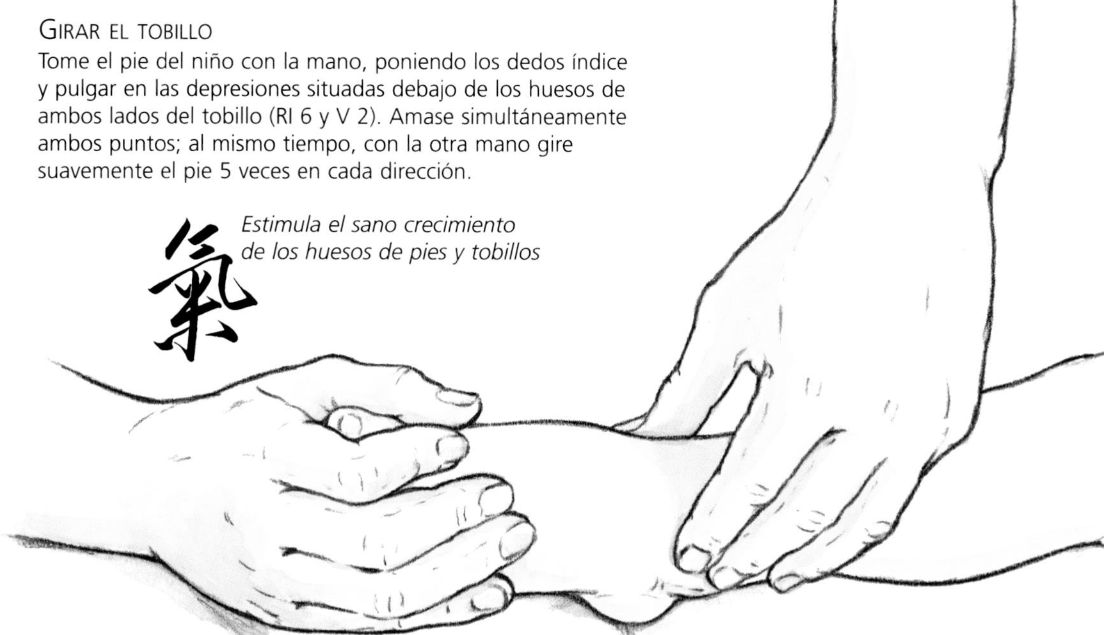

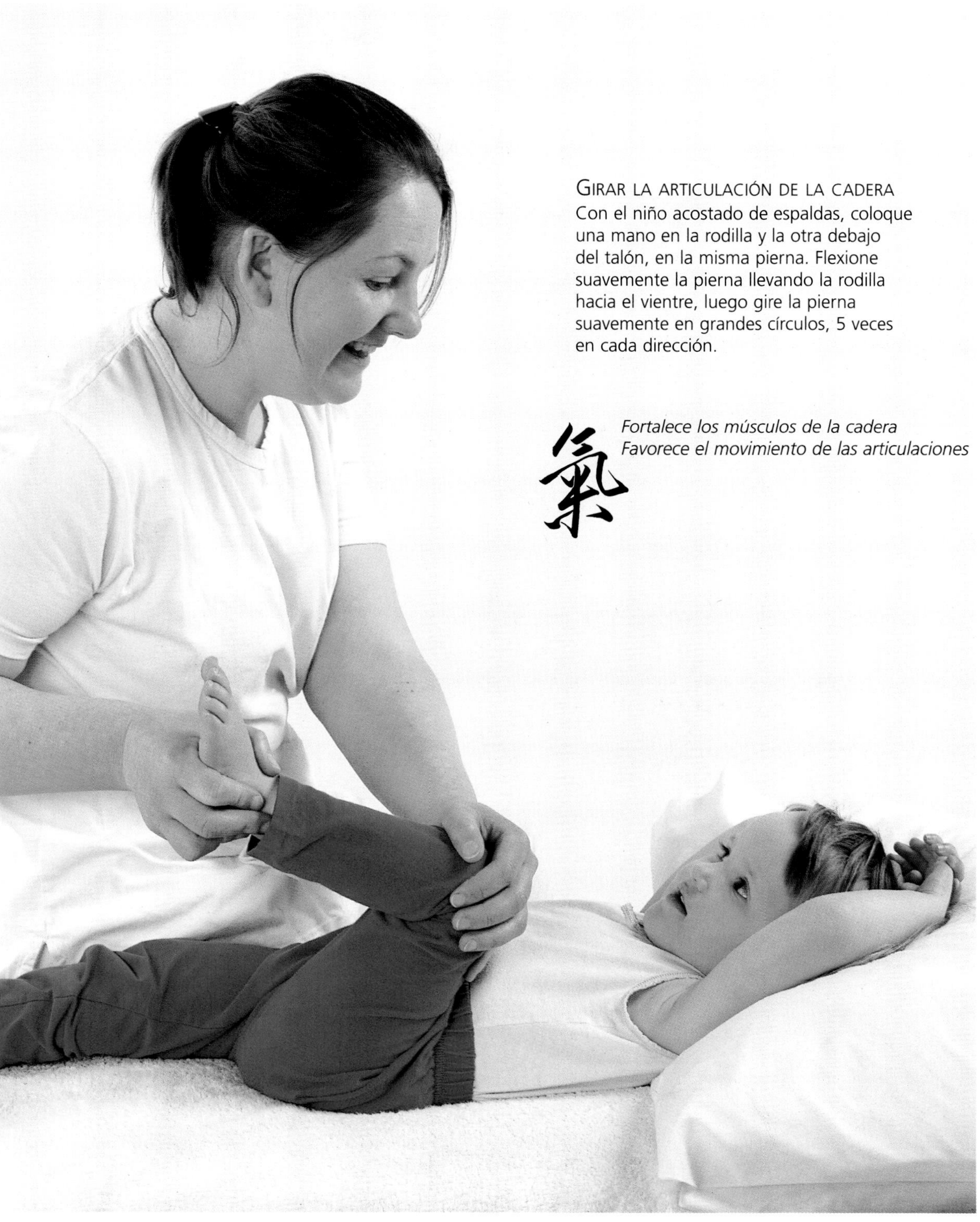

Girar la articulación de la cadera

Con el niño acostado de espaldas, coloque una mano en la rodilla y la otra debajo del talón, en la misma pierna. Flexione suavemente la pierna llevando la rodilla hacia el vientre, luego gire la pierna suavemente en grandes círculos, 5 veces en cada dirección.

氣

Fortalece los músculos de la cadera
Favorece el movimiento de las articulaciones

Espalda

En esta parte de la sesión de masaje para el cuidado de la salud, su hijo probablemente esté más cómodo acostado en la cama boca abajo. Como varios pasos requieren el uso de ambas manos para amasar dos puntos simultáneamente, no es aconsejable acostar a los bebés en el regazo.

Cuando siga las instrucciones para los pasos de esta sección, tome como referencia la fotografía que aparece abajo y la de la página siguiente. La situación precisa de los puntos Qi y de las zonas que se deben tratar llevan el nombre del paso pertinente.

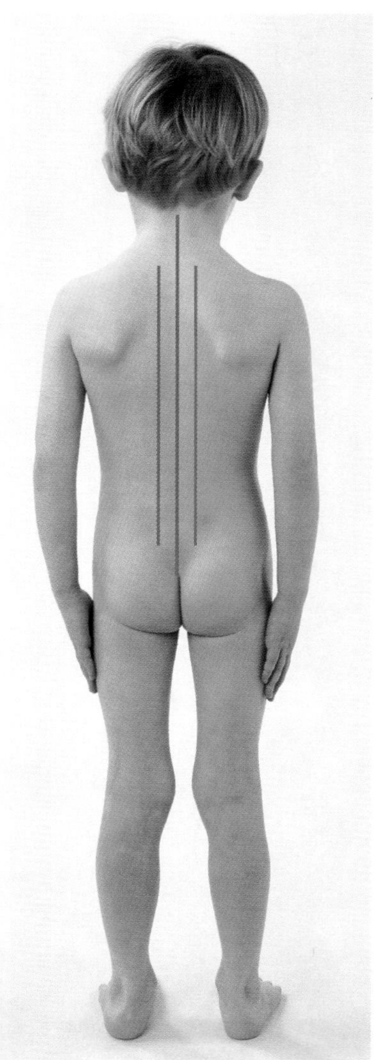

Amasar el meridiano de la vejiga, situado a ambos lados de la columna vertebral

Friccionar la columna vertebral (meridiano Du) hacia abajo

Amasar los puntos del meridiano de la vejiga:
Puntos del riñón (V 23)
Puntos del pulmón (V 13)
Puntos del bazo (V 20)

Amasar los glúteos (VB 30)

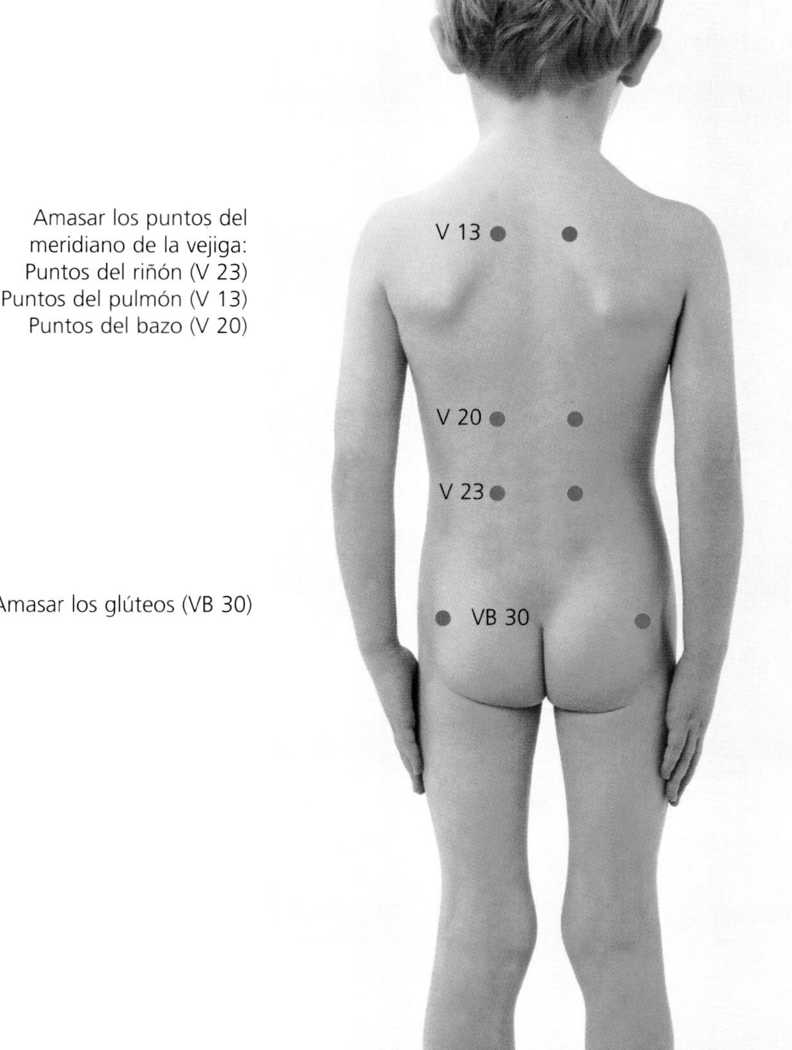

AMASAR EL MERIDIANO DE LA VEJIGA

Los puntos situados a lo largo del meridiano de la vejiga, en la espalda (véase p. 66) están relacionados con las energías de todos los órganos internos. El meridiano se extiende a ambos lados de la columna vertebral, a dos dedos (del niño) de la línea central. Con los dedos índice y mayor, o con ambos pulgares, amase simultáneamente en forma circular todo a lo largo del meridiano, a ambos lados de la columna, en forma descendente, 5 veces.

Finalice friccionando hacia arriba y hacia abajo el meridiano de la vejiga, a ambos lados de la columna vertebral, con los dedos índice y mayor, 5 veces.

Fortalece todos los órganos internos
Estimula el sistema nervioso reforzando el sistema inmunológico

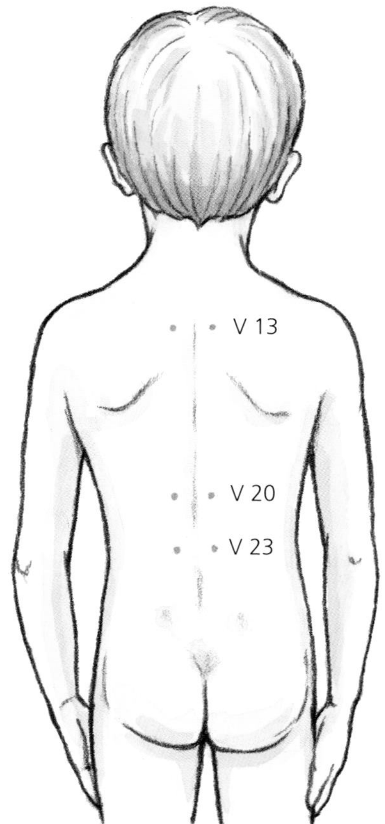

AMASAR LOS PUNTOS DEL MERIDIANO DE LA VEJIGA

Estos puntos están situados en el meridiano de la vejiga. Amase cada par en el sentido de las agujas del reloj 50 veces, con dos dedos simultáneamente, a ambos lados de la columna vertebral.

Los puntos del pulmón (V 13) están a la altura de la esquina superior del omóplato.

Ayuda a prevenir gripes e infecciones respiratorias

Los puntos del bazo (V 20) se encuentran tres vértebras más arriba que los puntos del riñón.

Estimula la digestión
Promueve el desarrollo muscular

Los puntos del riñón (V 23) están a la altura de las últimas costillas.

Promueve el sano desarrollo óseo

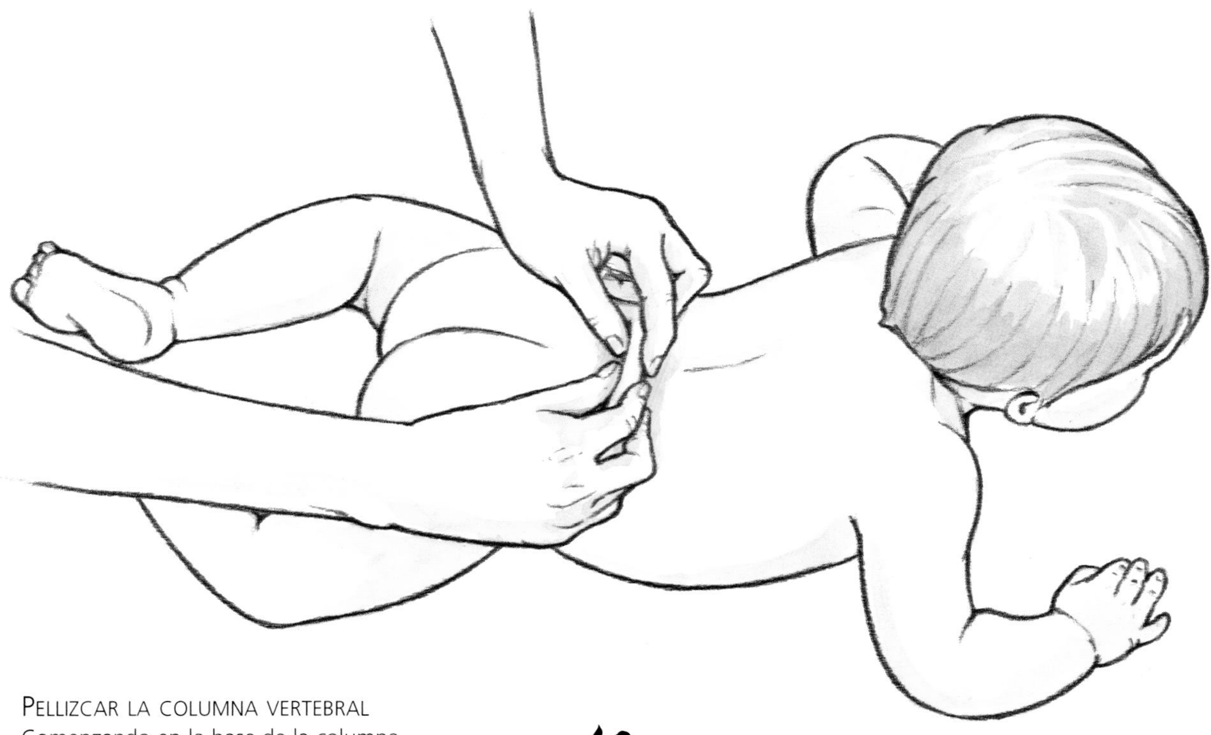

Pellizcar la columna vertebral

Comenzando en la base de la columna, pellizque la piel con ambos pulgares e índices, levantándola apenas. Corra una mano 2 cm hacia arriba, sobre la columna, y repita. Luego lleve la otra mano junto a la anterior y repita nuevamente. Continúe de esta forma hacia arriba en toda la columna vertebral.

Advertencia: no emplee esta técnica en bebés menores de dos semanas. En los bebés pequeños, realícela con suavidad.

氣

Estimula en gran medida el sistema inmunológico
Refuerza y vigoriza el desarrollo de todos los órganos internos

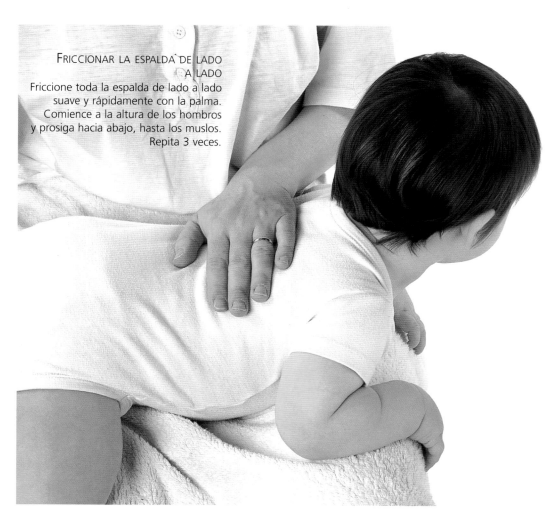

Friccionar la espalda de lado a lado

Friccione toda la espalda de lado a lado suave y rápidamente con la palma. Comience a la altura de los hombros y prosiga hacia abajo, hasta los muslos. Repita 3 veces.

Incrementa el flujo del Qi y de la sangre
Energiza todos los órganos internos

Friccionar la columna vertebral hacia abajo

Empleando simultáneamente los dedos índice y mayor, friccione ligeramente la columna (meridiano Du) hacia abajo, desde la base de la nuca hasta el sacro, 5 veces.

氣

Estimula el desarrollo del cerebro
y de la médula espinal
Calma la inquietud

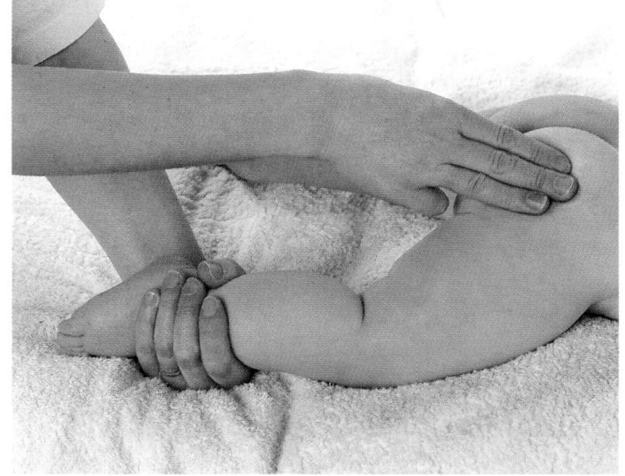

Amasar los glúteos

Amase cada glúteo por separado de 10 a 20 veces, con el borde de la palma; o, si el niño es un bebé, con los dedos índice, mayor y anular.
Luego localice las depresiones situadas a dos tercios de la distancia que hay entre la base de la columna vertebral y el borde externo del hueso de la cadera (VB 30). Amase ambos puntos con los dedos índice y mayor de 10 a 20 veces.

Promueve el sano desarrollo de los glúteos
Estimula los nervios de las piernas
y las fortalece

Parte posterior de las piernas y los pies

En esta parte de la sesión de masaje para el cuidado de la salud, su hijo debe estar acostado de espaldas con las piernas estiradas para poder masajear toda la extensión de las piernas y un punto situado en la planta del pie.

Cuando siga las instrucciones para los pasos de esta sección, tome como referencia las fotografías que se ven abajo y a la derecha. La situación precisa de los puntos Qi y de las zonas que se deben tratar llevan el nombre del paso pertinente.

Primero complete todos los pasos en una pierna, luego repita la secuencia en la otra pierna.

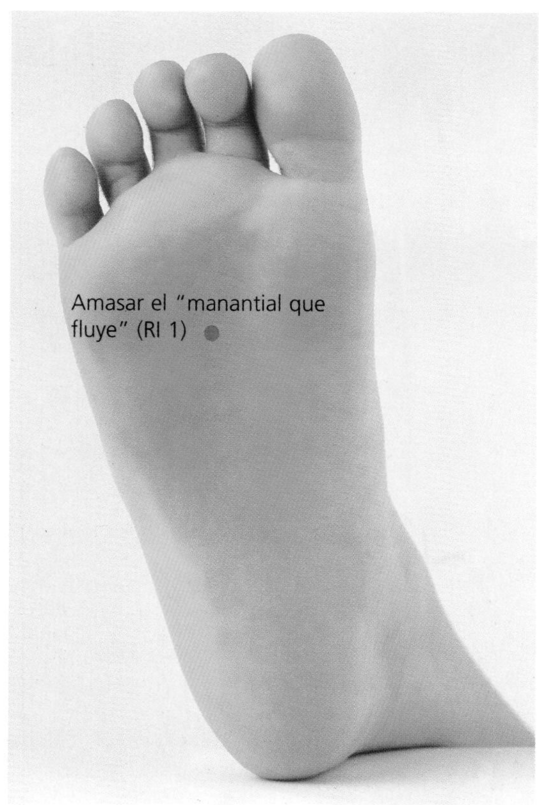

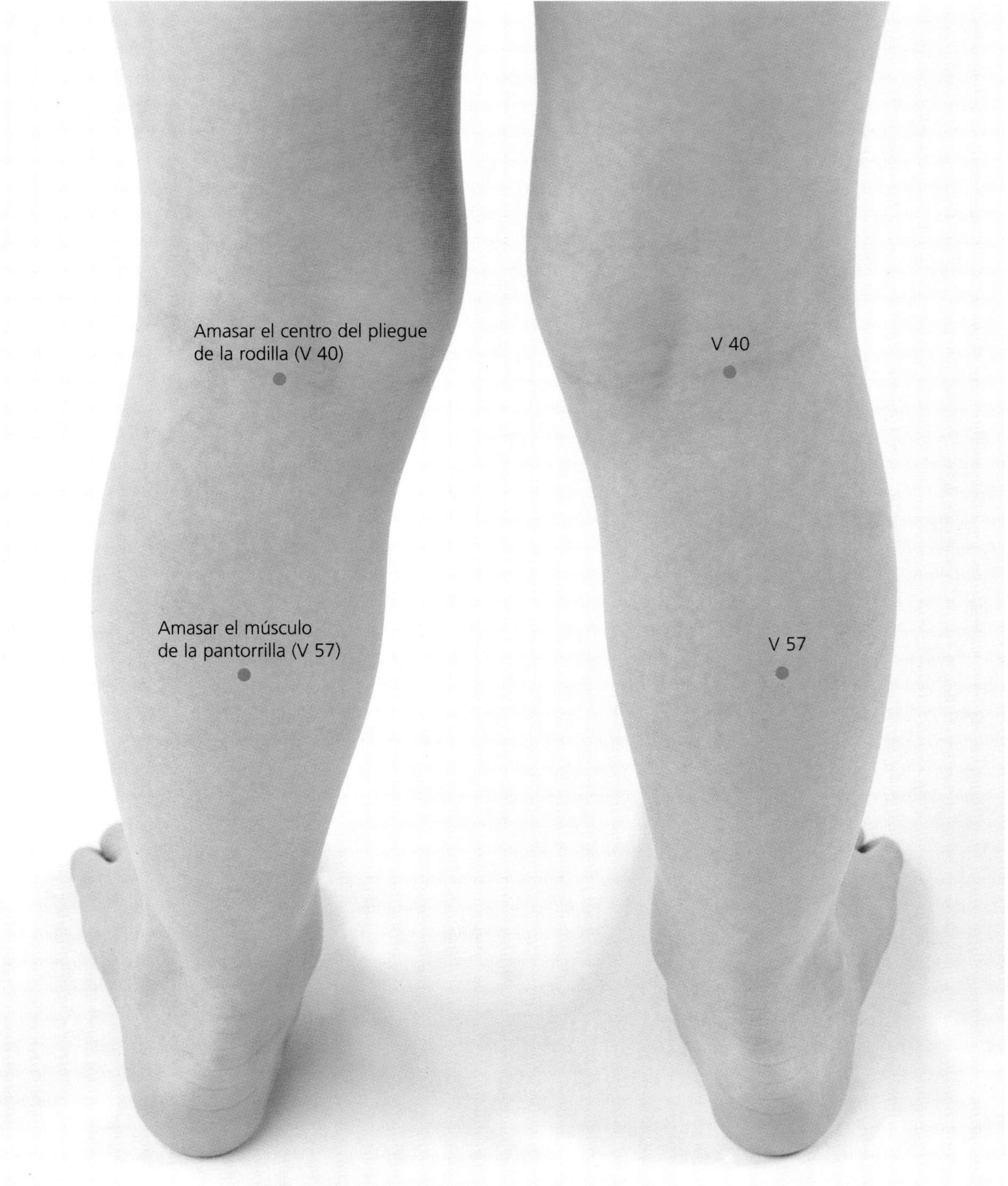
Amasar el centro del pliegue
de la rodilla (V 40)
V 40
Amasar el músculo
de la pantorrilla (V 57)
V 57

PELLIZCAR LA PARTE POSTERIOR DE LA PIERNA

Comenzando en la parte superior del muslo, pellizque lentamente la parte posterior de la pierna 5 veces, levantando apenas el músculo; prosiga hacia abajo corriendo la mano aproximadamente 1 cm después de cada pellizco.

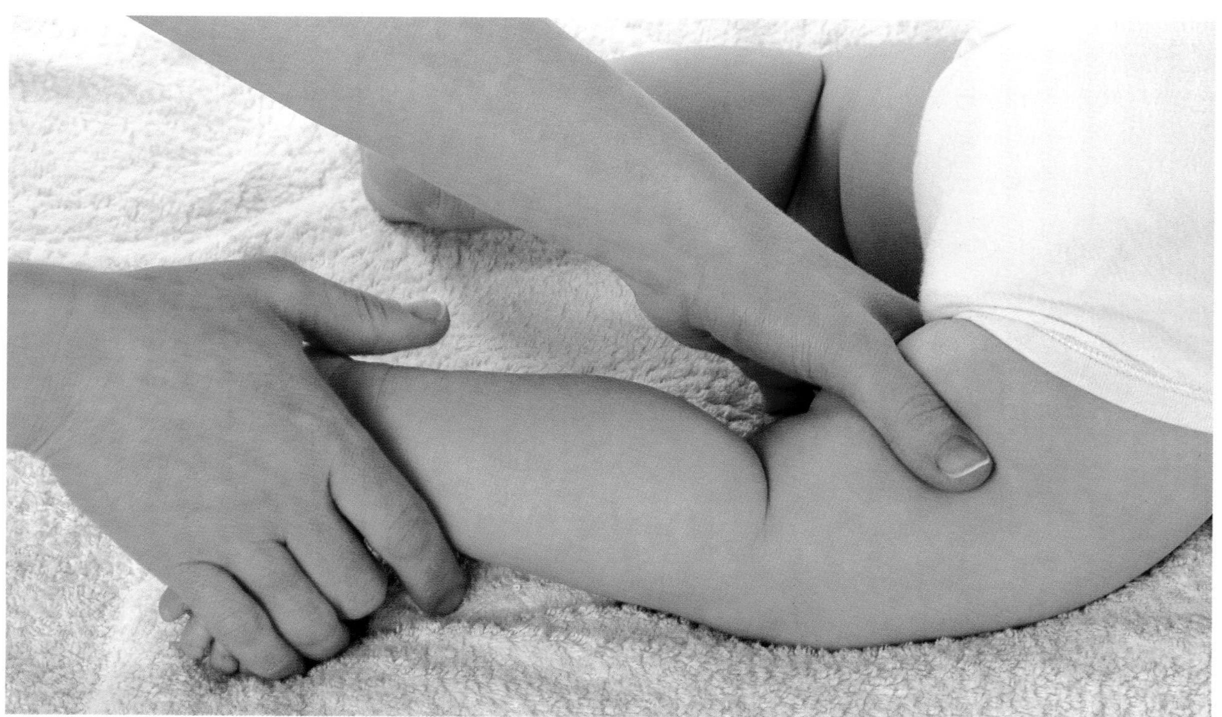

Estimula el Qi y el flujo sanguíneo en el ligamento de la corva y los músculos de la pantorrilla

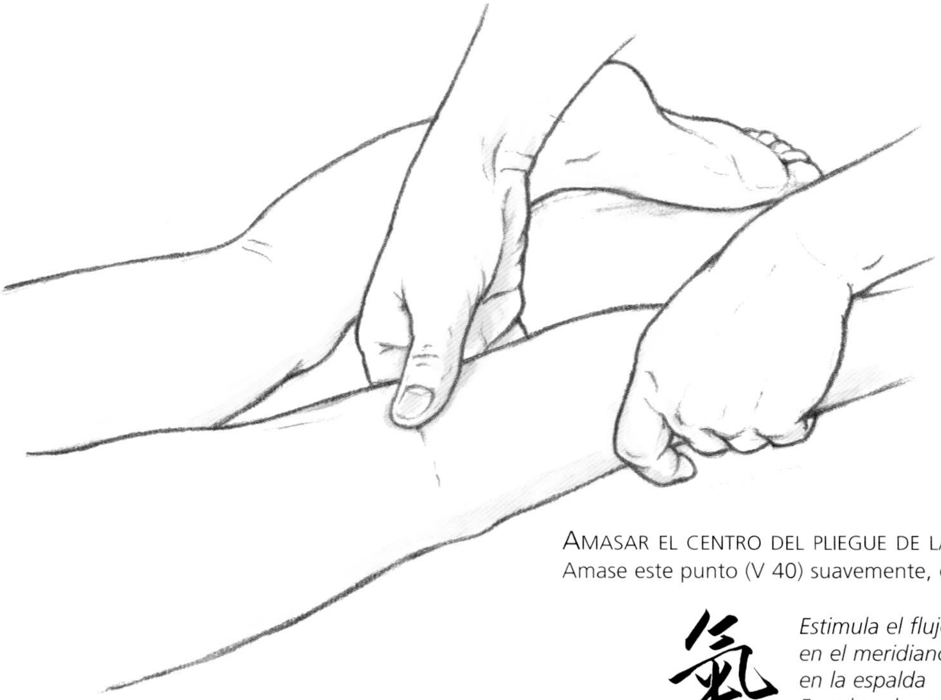

Amasar el centro del pliegue de la rodilla

Amase este punto (V 40) suavemente, de 10 a 20 veces.

氣

Estimula el flujo del Qi y de sangre en el meridiano de la vejiga situado en la espalda
Fortalece los nervios de la pierna mejorando la coordinación

Amasar el músculo de la pantorrilla

Amase con el pulgar el punto situado en la mitad del músculo de la pantorrilla (V 57), 10 veces.

氣

Fortalece la parte inferior de las piernas
Evita calambres en las piernas

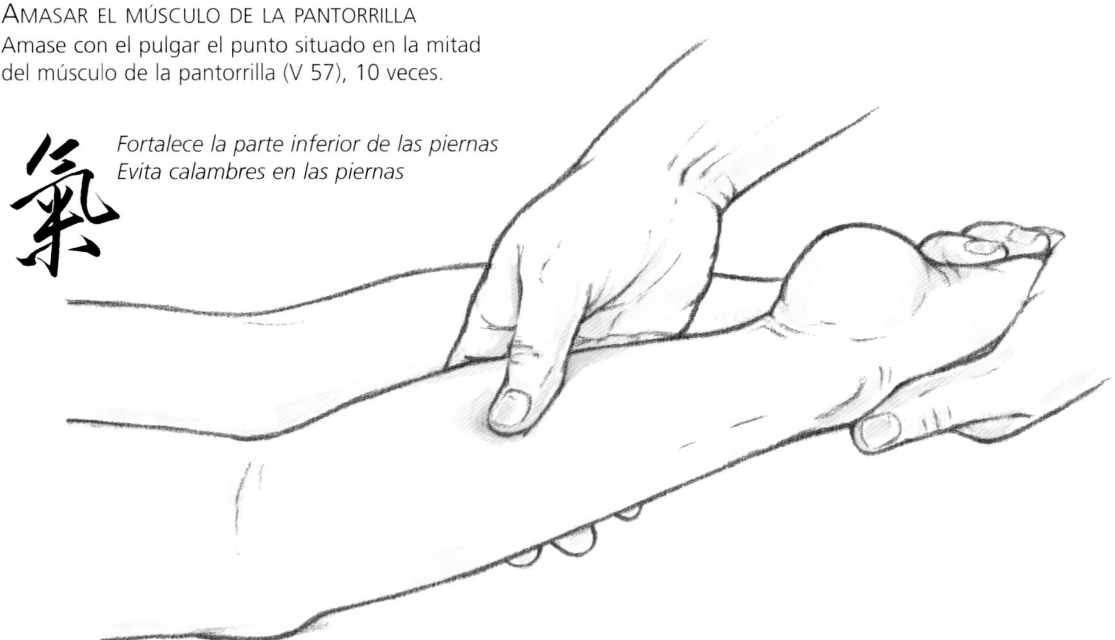

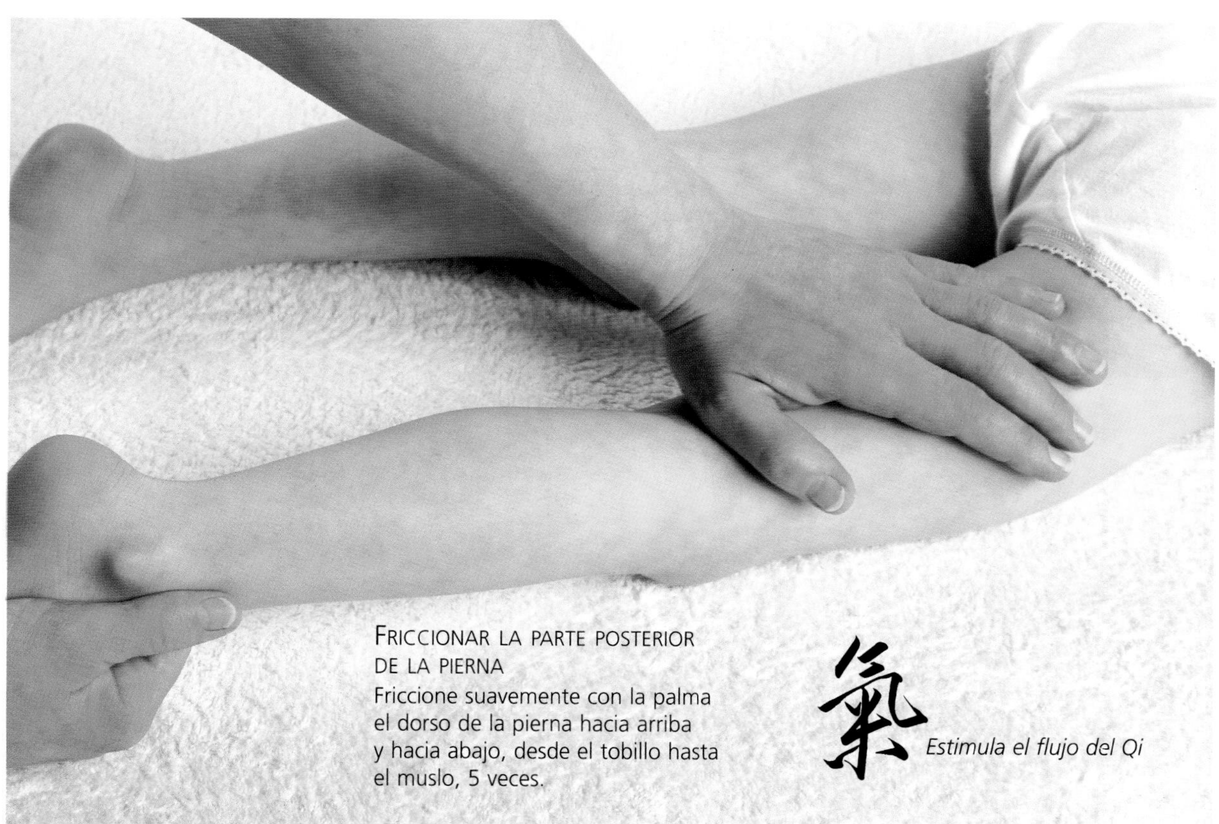

FRICCIONAR LA PARTE POSTERIOR DE LA PIERNA

Friccione suavemente con la palma el dorso de la pierna hacia arriba y hacia abajo, desde el tobillo hasta el muslo, 5 veces.

氣 *Estimula el flujo del Qi*

AMASAR EL "MANANTIAL QUE FLUYE"

Este punto (RI 1) está situado en la planta del pie, a dos tercios de la distancia entre el extremo del talón y la base de los dedos. Amáselo 50 veces con el dedo mayor o el pulgar, luego friccione con el pulgar desde ese punto hacia los dedos, 50 veces.

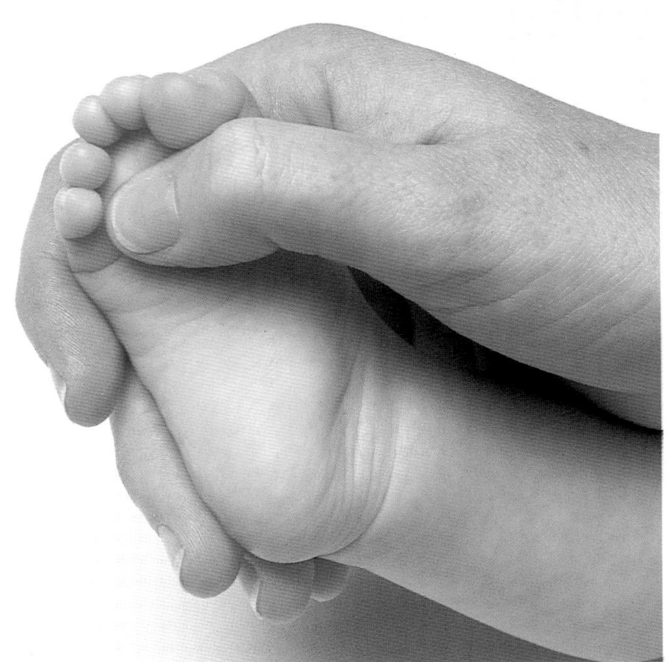

Produce un fuerte efecto calmante
Promueve el sueño sereno

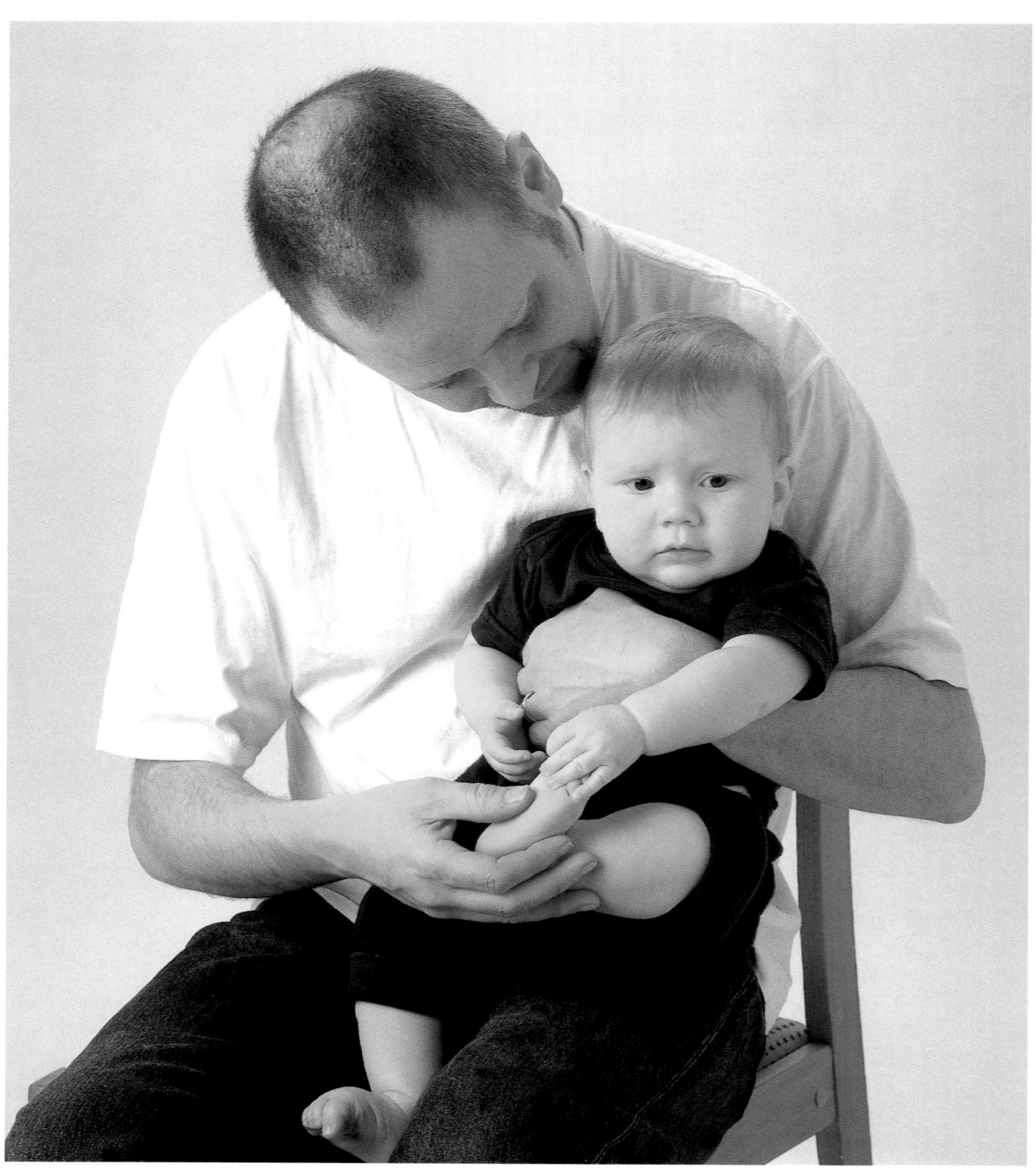

El masaje es una actividad entretenida

A medida que se familiarice con los pasos de la sesión de masaje para el cuidado de la salud, notará que podrá realizarla con más rapidez, y que su hijo aprenderá cada uno de los pasos y sabrá el que sigue después. La sesión permite cambios de posición bastante frecuentes, para evitar que el niño comience a sentirse inquieto o molesto. Las posiciones sugeridas para cada paso sólo son una guía; puede modificarlas según su conveniencia en determinada ocasión.

Procure que su hijo participe en la sesión de masaje para el cuidado de la salud convirtiéndola en una especie de juego. Mientras masajea los dedos, las manos o los pies, puede compartir con su niño los juegos típicos infantiles donde se usan los dedos, o entonar canciones y rimas. Estimule a su hijo para que imite sus movimientos; por ejemplo, masajearse una pierna mientras usted masajea la otra, o hacer el masaje en una muñeca o un osito de peluche. Converse siempre con él, explicándole qué está haciendo, por ejemplo: "Te hago un masaje en la espalda para que crezcas grande y fuerte". También puede inventar historias a medida que realice los pasos.

Es posible que su hijo se relaje tanto con el masaje que se quede dormido. Si eso sucede, puede continuar masajeándolo mientras él duerme.

Por sobre todo, el masaje debe ser ameno tanto para el niño como para la madre. En caso de que su hijo se ponga inquieto, trate de distraerlo con una canción o un cuento. Si no se tranquiliza, no lo moleste continuando con el masaje; intente más tarde u otro día. Casi todos los niños disfrutan con el contacto físico, la atención y la relación con su madre creada por el masaje.

Capítulo 4

TRATAMIENTOS

En los hospitales chinos, el Tui Na se emplea para tratar una amplia variedad de enfermedades y trastornos. Al indicar los tratamientos, los médicos tienen en cuenta la causa de la enfermedad y la conformación del niño, según la teoría de la Medicina Tradicional China. Esos tratamientos son verdaderamente holísticos, pues consideran al niño de manera integral y con necesidades individuales únicas.

Para prescribir dichos tratamientos se requieren muy amplios conocimientos de diagnóstico; eso está fuera del alcance de este libro. Sin embargo, para algunas enfermedades comunes infantiles existen tratamientos básicos que se utilizan siempre. Este capítulo presenta cinco de esos tratamientos: para la gripe, la tos, la intranquilidad y el llanto nocturnos, el cólico y la dentición. Cada uno de esos tratamientos básicos comprenden tres o cuatro pasos que tienen como objetivo aliviar los síntomas del niño y fortalecer su organismo.

La mayoría de esas técnicas provienen de la sesión de masaje para el cuidado de la salud descrito en el Capítulo 3; todas ellas se explican con instrucciones y fotografías. También se describe brevemente cada trastorno y la forma en que funciona el Tui Na para tratarlo.

Advertencia: para realizar las técnicas de masaje, refiérase a las guías dadas en el Capítulo 2. Si tiene dudas con respecto a alguna enfermedad, consulte al médico.

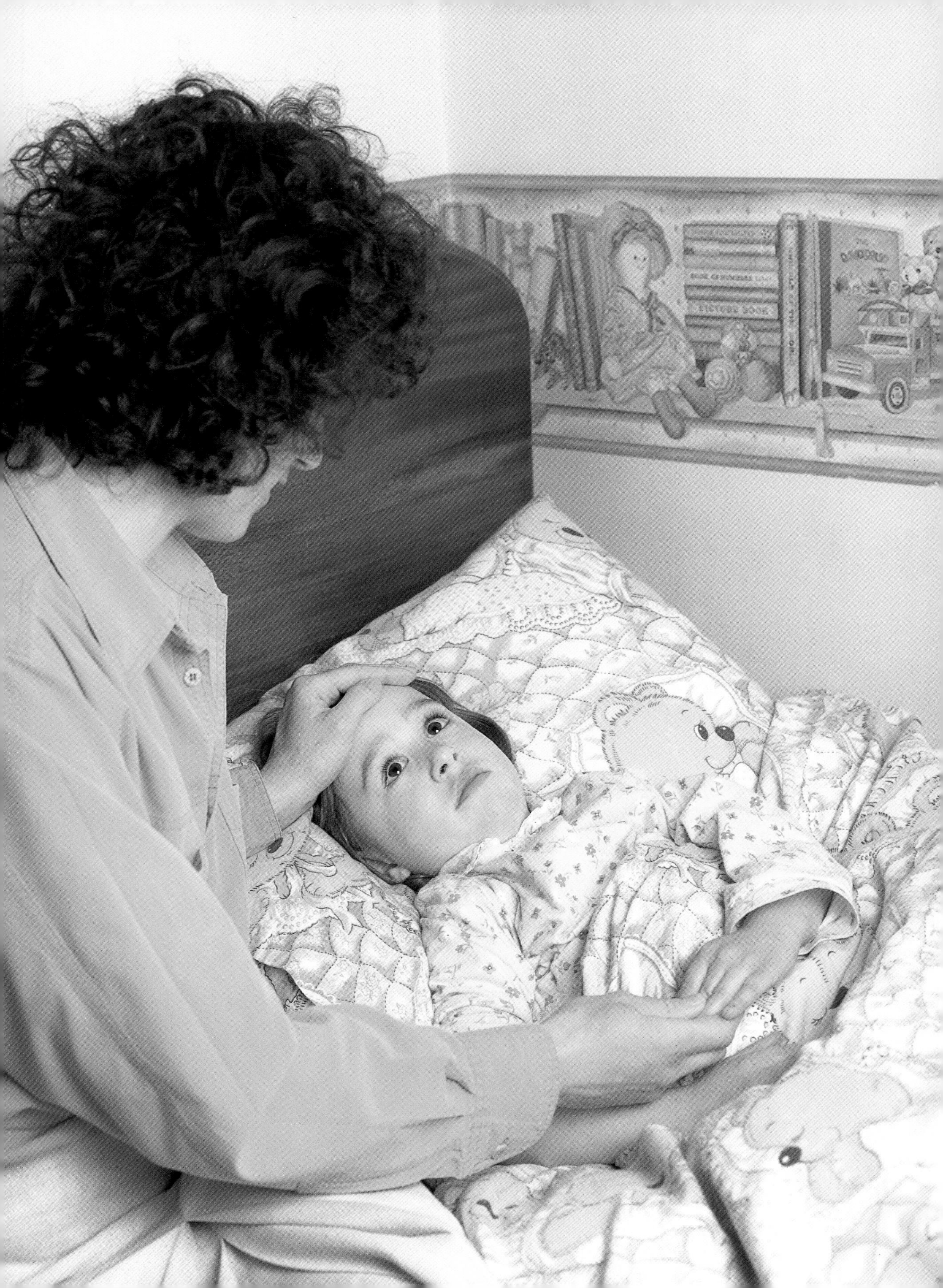
BOOK OF NUMBERS
PICTURE BOOK

Gripe

La gripe es muy común en los bebés y niños pequeños. No existe un método de prevención seguro ni tampoco una causa bien determinada, pues el virus que la provoca tiene muchas variedades diferentes.

Los síntomas típicos de la gripe son resfrío, obstrucción nasal, estornudos, dolor de garganta, fiebre ligera y pérdida de apetito. La gripe es muy molesta para el niño, pero generalmente no es grave y se cura en pocos días.

Dado en forma regular, el masaje Tui Na aumenta la resistencia a la gripe porque regula y equilibra el Qi, incrementando la respuesta inmunológica. Si se presenta una gripe, el tratamiento que se explica en la página siguiente puede aliviar los síntomas y hacer que el niño tenga menos propensión a contraer infecciones secundarias, como las de pecho y oído. Los pasos deben realizarse una vez por día, en cualquier orden, hasta que cesen los síntomas.

Si su hijo tiene tos, también puede aplicarle el tratamiento correspondiente, que se explica en las páginas 84 y 85.

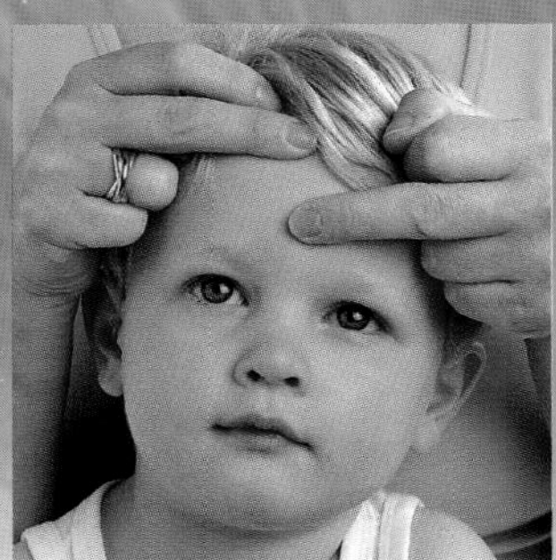

EMPUJAR LA "PUERTA DE LA CABEZA"
Comience en el punto situado en medio de las cejas y friccione hacia arriba, por la frente y hasta el nacimiento del pelo, usando los dedos mayores en forma alternada, 50 veces.

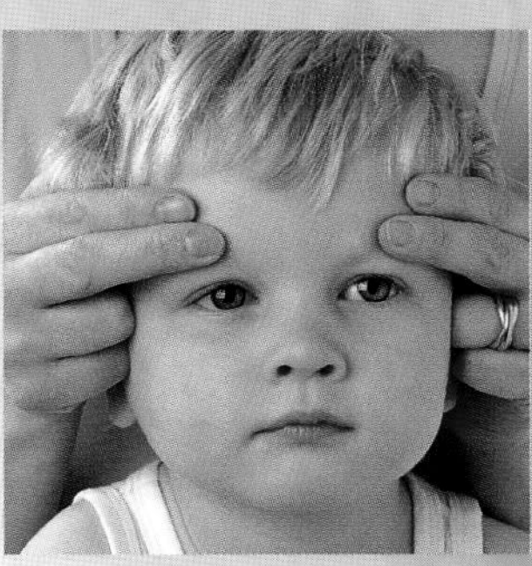

FRICCIONAR LAS CEJAS
Deslice los dedos índice y mayor a lo largo de las cejas del niño, desde el extremo interior (V 2) hasta el exterior (SJ 23). Repita 50 veces.

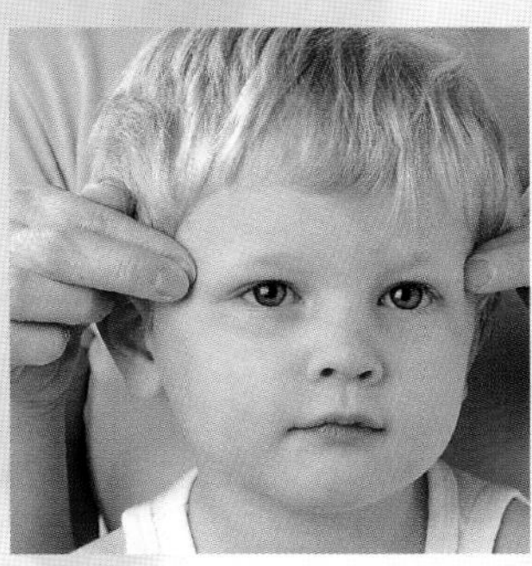

AMASAR EL "PUNTO DEL SOL"
Sitúe los pulgares en los puntos Taiyang de las sienes y amase 50 veces.

AMASAR LA NUCA Y LA CABEZA
Con una mano sostenga la frente del niño, y con la otra localice las depresiones situadas en la base del cráneo, a ambos lados del centro de la nuca (VB 20). Amase muy suavemente con el pulgar y el dedo mayor, 30 veces.

Luego, deslice ambos dedos hacia fuera, hasta donde el cráneo se proyecta detrás de las orejas (VB 12). Amase simultáneamente ambos puntos 30 veces.

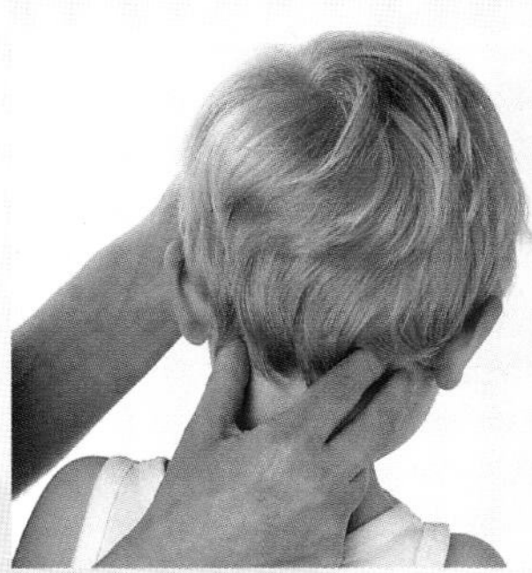

Tos

La tos es una reacción refleja causada por una irritación en la tráquea; su función consiste en despejar las vías respiratorias. Puede aparecer sola o con gripe, y se presenta en dos formas:

• La tos seca, acompañada de picazón en la garganta, generalmente indica que hay una infección que provoca una leve inflamación en la tráquea. Puede ser muy persistente, pero no produce expectoración de flema.

• La tos con expectoración de flema puede ser señal de una inflamación más aguda que posiblemente afecte los conductos respiratorios de los pulmones, además de la tráquea.

Como la tos es un mecanismo de defensa para evitar la obstrucción de las vías respiratorias, administrar al niño un supresor de la tos puede demorar su recuperación, e incluso empeorar su estado.

Los pasos de tratamiento que se muestran en la página siguiente calman los centros nerviosos que controlan el reflejo de la tos, de modo que ésta se reduzca al mínimo necesario para mantener los conductos respiratorios despejados. Al regular y equilibrar el Qi, también aumentan la respuesta inmunológica para que el niño pueda superar la infección. Aplique el tratamiento una vez por día, en cualquier orden.

AMASAR LA PARTE SUPERIOR DEL PECHO
Deslice el dedo por el esternón hasta localizar la depresión situada en la base del cuello (R 22). Amase ese punto con el dedo mayor 50 veces en el sentido de las agujas del reloj.

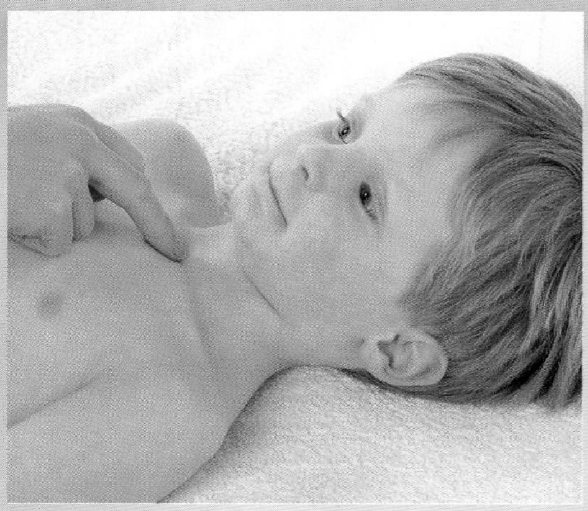

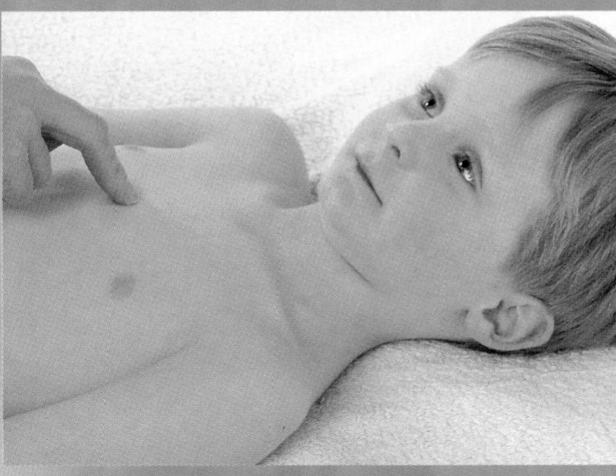

Amasar el centro del pecho
Amase el centro del esternón a la altura de las tetillas (R 17), con el dedo mayor, 100 veces en el sentido de las agujas del reloj. Luego friccione hacia fuera con ambos pulgares simultáneamente, desde ese punto hasta las tetillas.

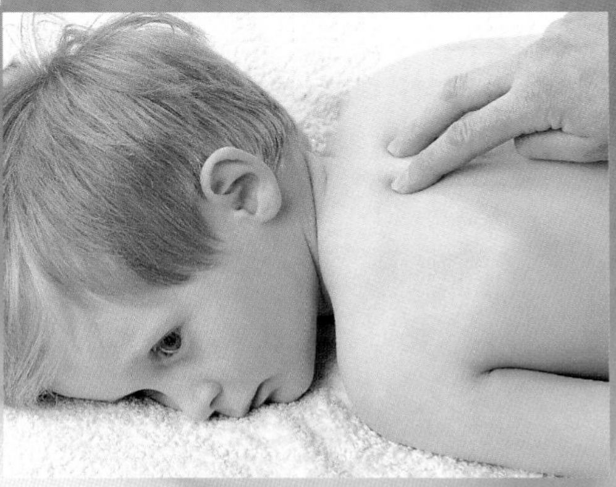

Amasar los puntos del meridiano de la vejiga
El meridiano de la vejiga se extiende a ambos lados de la columna, a dos dedos (del niño) de la línea central. Amase cada par de puntos en el sentido de las agujas del reloj 50 veces, con dos dedos simultáneamente, a ambos lados de la columna vertebral.

Primero amase los puntos del pulmón (V 13) situados a la altura de la esquina superior del omóplato.

Luego suba una vértebra y amase nuevamente (V 12).

Suba una vértebra más y vuelva a amasar (V 11).

Friccionar el dedo anular
Sostenga la mano del niño con la palma hacia arriba y friccione circularmente con el pulgar la primera articulación del anular (meridiano del pulmón) en el sentido de las agujas del reloj, 300 veces.

Intranquilidad y llanto nocturnos

Las noches frecuentes de sueño interrumpido tienen consecuencias negativas en los padres. Estos tratamientos relajan y tranquilizan al niño, permitiendo que todos disfruten un sueño reparador.

Para calmar al niño y prepararlo para que duerma bien, fricciónele la espalda antes de ir a dormir, preferiblemente después de darle un baño o contarle un cuento. Si se despierta durante la noche, primero verifique que no se debe a un motivo sencillo –pañales mojados, mucho frío o demasiado calor–, luego realice uno o todos los tratamientos que se explican en la página siguiente. Hágalo con luz suave y en un ambiente tranquilo, para contribuir a que el masaje y su presencia calmen al niño y lo induzcan al sueño.

En los bebés pequeños, la causa de que se despierten y lloren durante la noche generalmente obedece a problemas digestivos menores; en ese caso, friccionar el vientre es particularmente efectivo (véase la página siguiente). También puede aplicarle los tratamientos para el cólico que se describen en las páginas 88 y 89.

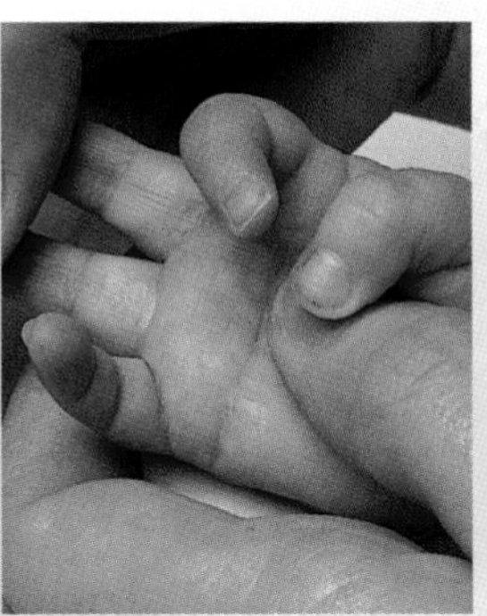

Friccionar el Neibagua

El Neibagua es una zona circular situada en el centro de la palma de la mano; su radio abarca dos tercios de la distancia que hay desde el centro hasta el dedo mayor. Friccione el contorno del Neibagua en el sentido de las agujas del reloj 50 veces.

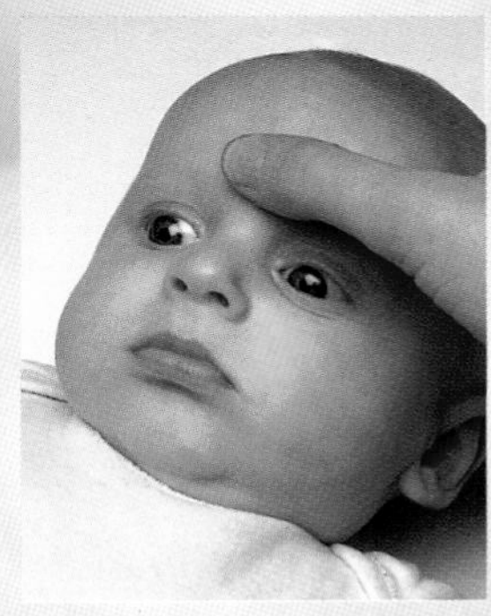

Empujar la "puerta de la cabeza"

Comience en el punto situado en medio de las cejas y friccione hacia arriba, por la frente y hasta el nacimiento del pelo, usando ambos pulgares en forma alternada, 50 veces.

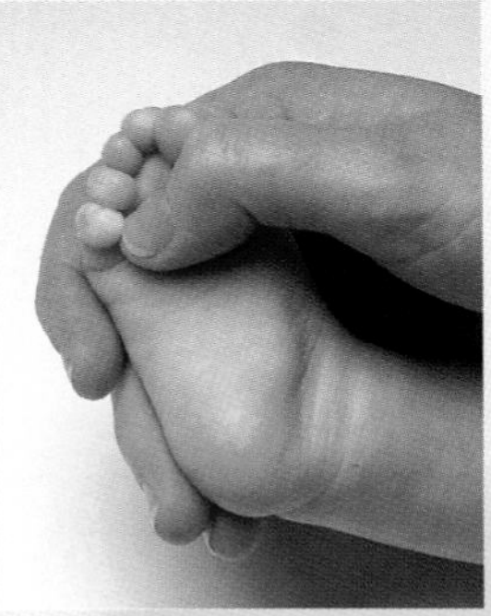

Amasar el "manantial que fluye"

Este punto (RI 1) está situado en la planta del pie, a dos tercios de la distancia que hay entre el extremo del talón y la base de los dedos. Amáselo 50 veces con el dedo mayor o el pulgar, luego friccione con el pulgar desde ese punto hacia los dedos, 50 veces.

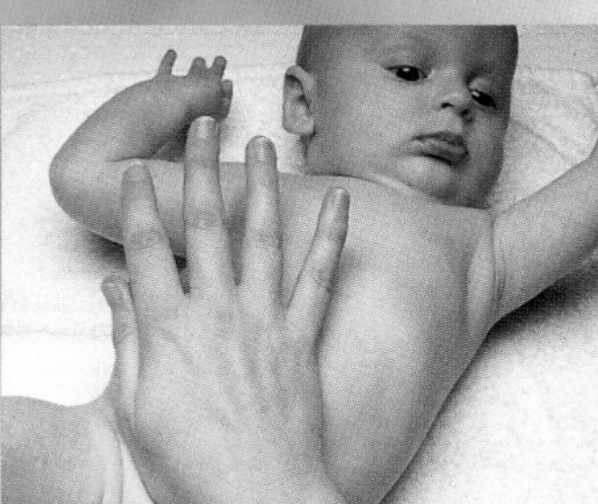

Amasar la "fuente de energía"

La fuente de energía (Dantien) es la zona situada justo debajo del ombligo, donde se almacena el Qi. Amase esta zona 100 veces en el sentido de las agujas del reloj con el borde de la palma.

Cólico

Casi todos los bebés padecen cólico ocasionalmente, pero algunos lo sufren a diario, generalmente por la noche. Si bien el cólico es molesto, no es peligroso para el bebé; no obstante, suele ser muy estresante para los padres, que además pueden verse perjudicados al perder horas de sueño.

El cólico es un trastorno intestinal que afecta principalmente a los bebés hasta los 3 meses de vida. Sus síntomas son llanto persistente y endurecimiento del vientre; a veces, el bebé flexiona las piernas contra el estómago.

Los tratamientos Tui Na que se muestran en la página siguiente incrementan el Qi del bazo, lo que favorece la digestión y, por ende, alivia el dolor del cólico. Aplique el tratamiento cuando su hijo presente síntomas de cólico. Si lo padece regularmente, siga los pasos de la página siguiente como medida preventiva antes de notar la aparición de los síntomas.

Cuando el cólico haya cesado, el plan de tratamiento para intranquilidad y llanto nocturnos que se muestra en las páginas 86 y 87 calmará al bebé y lo preparará para dormir.

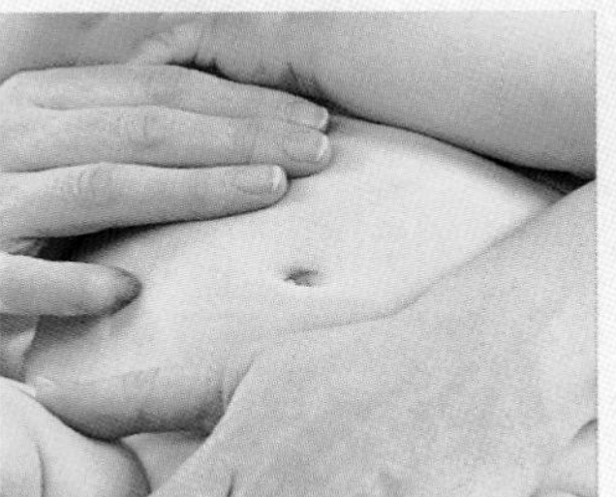

Friccionar el vientre

Friccione en sentido contrario al de las agujas del reloj todo el vientre 100 veces. Si se trata de un bebé, utilice los dedos índice, mayor y anular; si el niño es más grande, toda la palma.

Amasar la "fuente de energía"

La fuente de energía (Dantien) es la zona situada justo debajo del ombligo, donde se almacena el Qi. Amase esta zona 50 veces en el sentido de las agujas del reloj con el borde de la palma.

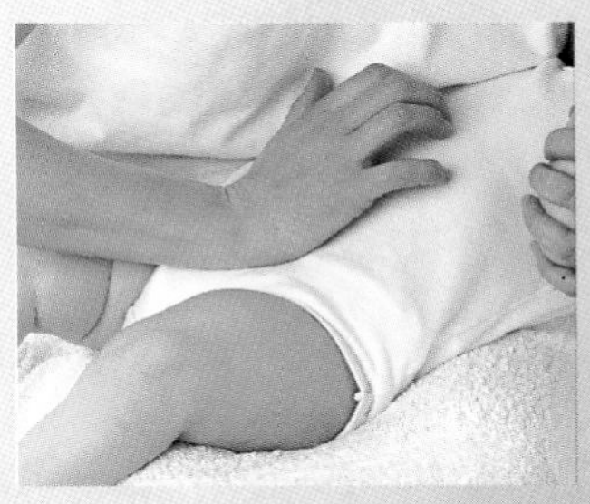

Amasar el "pie de los cinco kilómetros"

Este punto está situado sobre la tibia, tres pulgares (del niño) más abajo del hoyuelo externo de la rodilla (E 35). Amase este punto (E 36) con el pulgar 50 veces.

Pellizcar la columna vertebral

Comenzando en la base de la columna, pellizque la piel con ambos pulgares e índices, levantándola apenas. Corra una mano 2 cm hacia arriba, sobre la columna, y repita. Luego lleve la otra mano junto con la anterior y repita nuevamente. Continúe de esta forma hacia arriba en toda la columna vertebral.

Advertencia: no emplee esta técnica en bebés menores de dos semanas. En los bebés pequeños, realícela con suavidad.

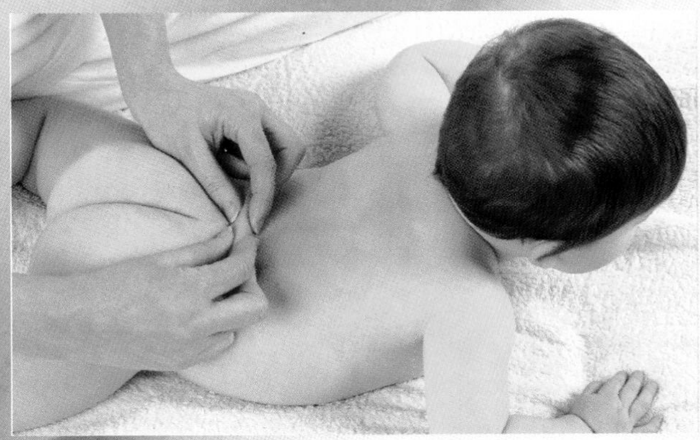

Dentición

Mejillas enrojecidas, encías inflamadas e hinchadas, e intranquilidad son los síntomas frecuentes de un diente que está por despuntar. Es posible que el proceso sea doloroso, y en consecuencia el niño se despierte por la noche, esté inquieto e incluso sea quisquilloso con la comida si le duelen las encías. No obstante, por lo general una vez que sale el diente, el dolor desaparece rápidamente.

El tratamiento Tui Na de la página siguiente acelera la aparición del diente y calma las encías doloridas. Aplique el tratamiento una vez por día, con los pasos en cualquier orden, desde que se presentan los primeros síntomas hasta que el diente haya salido y se vea con claridad.

Si el niño se despierta molesto por la noche, siga el tratamiento para la inquietud y el llanto nocturnos descrito en las páginas 86 y 87.

Amasar el músculo maxilar

Localice el punto situado en la mitad del músculo de la mandíbula, justo sobre y frente al maxilar inferior, a la altura del ángulo del hueso (E 6), y amáselo con el dedo mayor 50 veces.

Amasar debajo del pómulo

Localice el punto situado justo sobre el centro del músculo de la mandíbula, en la depresión situada entre el maxilar inferior y el hueso del pómulo (E 7). Amáselo con el dedo mayor 50 veces.

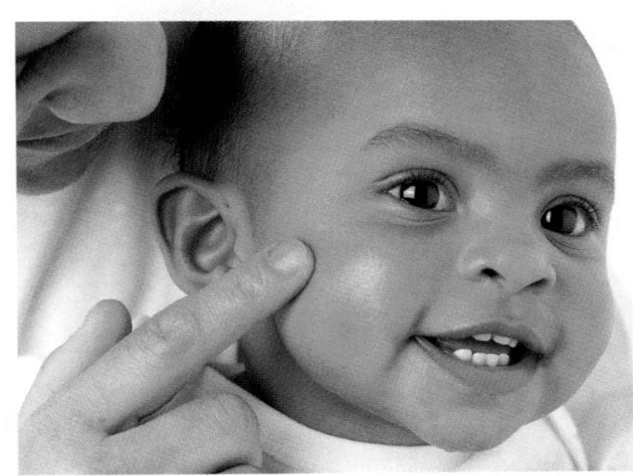

Amasar la "parte alta del valle"

Amase el punto que se encuentra entre la base del índice y el pulgar (IG 4). Repita 50 veces.

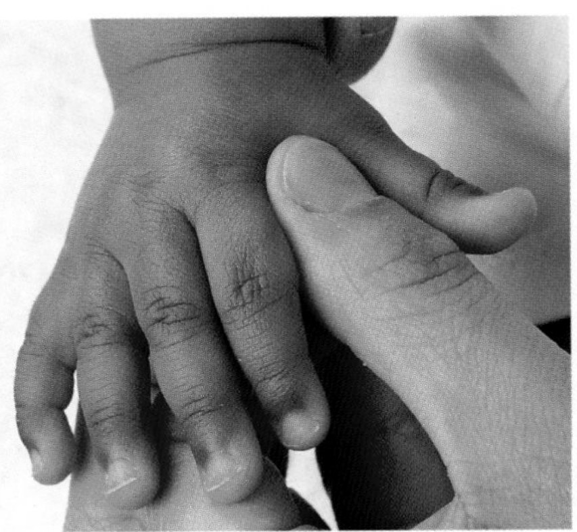

Glosario

En general, los puntos se denominan según los meridianos donde se encuentran; por ejemplo, el punto vejiga 23 está situado en el meridiano de la vejiga, controlado por la vejiga. Los puntos Sanjiao y Pericardio no tienen equivalente en la medicina occidental. Los meridianos Ren y Du no están relacionados directamente con ningún órgano.

Los puntos Qi también tienen nombres chinos, que se mencionan aquí. Algunos de los puntos Qi utilizados son propios de los niños y no están localizados en ningún meridiano. La situación de los puntos Qi se ilustra en las páginas citadas.

Banmen: la prominencia tenar en la base del pulgar (p. 29).

Bazo 10, Xuehai: tres dedos (del niño) más arriba del borde superior de la rótula, en una línea vertical trazada por el borde interno de la rótula, sobre el muslo (p. 61).

Corazón 3, Shaohai: en el extremo interno del pliegue formado cuando se flexiona el brazo (p. 40).

Dantien: la zona del vientre situada justo debajo del ombligo, donde se almacena el Qi (p. 54).

Du 20, Baihui: en la parte superior de la cabeza, a media distancia entre las orejas (p. 44).

Estómago 6, Jiache: en el centro del músculo de la mandíbula, justo a la altura del ángulo del hueso maxilar (p. 91).

Estómago 7, Xiguan: justo arriba de Estómago 6, en la cavidad situada entre el hueso maxilar inferior y el pómulo.

Estómago 35, Dubi: en la depresión situada junto al borde exterior de la rodilla, a la altura del extremo inferior de la rótula (p. 61).

Estómago 36, Zusanli: tres pulgares (del niño) debajo de Estómago 35 y un pulgar hacia afuera de la cresta de la tibia (p. 61).

Estómago 41, Jiexi: en el centro del pliegue formado en la articulación del tobillo cuando se flexiona el pie hacia arriba (p. 61).

Intestino delgado 3: en el borde exterior del pliegue de la base del meñique (p. 29).

Intestino delgado 19, Tiangong: frente al orificio de la oreja, en la depresión que se nota al abrir la boca (p. 45).

Intestino grueso 4, Hegu: en la "V" formada entre el primero y el segundo metacarpo, más cerca del segundo (p. 28).

Intestino grueso 11, Quchi: en el extremo externo del pliegue del codo cuando se flexiona el brazo (p. 41).

Intestino grueso 15, Jianyu: en la depresión de la parte frontal del hombro cuando se flexiona y se sostiene horizontalmente el brazo (p. 40).

Intestino grueso 20, Yingxiang: en las depresiones situadas a ambos lados de las fosas nasales (p. 45).

Meigong: cejas (p. 45).

Meridiano de la vejiga: en la espalda; se extiende verticalmente a ambos lados de la columna vertebral, a dos dedos (del niño) de la línea central (p. 66).

Meridiano Du: se extiende por la columna vertebral y sobre la cabeza, en la línea central (p. 66).

Neibagua: zona circular situada en el centro de la palma de la mano, cuyo radio se extiende hasta dos tercios de la distancia entre el centro y el dedo mayor (p. 29).

Pericardio 6, Neiguan: en la parte interna del antebrazo, tres dedos (del niño) sobre el pliegue central de la muñeca, casi exactamente a media distancia de los dos tendones principales (p. 40).

Pericardio 7, Daling: en el centro del pliegue interior de la muñeca (p. 29).

Pericardio 8, Laogong: en el centro de la mano, donde la uña del dedo mayor toca la palma cuando se flexiona (p. 29).

Ren 12, Zhongwan: a media distancia entre el extremo inferior del esternón y el ombligo (p. 55).

Ren 17, Tanzhong: en el centro del esternón, a la altura de las tetillas (p. 55).

Ren 22, Tiantu: en la depresión profunda situada en el extremo superior del esternón (p. 55).

Riñón 1, Yongquan: en la depresión situada en la línea central de la planta del pie, a dos tercios del extremo del talón (p. 72).

Riñón 6, Zhaohai: en la pequeña depresión situada directamente debajo del centro del hueso interno del tobillo (p. 60).

Sanjiao 4, Yangchi: en el centro del pliegue exterior de la muñeca (p. 41).

Sanjiao 5, Waiguan: tres dedos más arriba del pliegue principal exterior de la muñeca, entre el radio y el cúbito (p. 41).

Sanjiao 14, Jianliao: en la depresión situada justo debajo del extremo exterior del acromio (p. 45).

Sanjiao 23, Sizhukong: en la depresión situada junto al extremo exterior de la ceja (p. 45).

Taiyang: en los niños, la zona situada entre el extremo externo del ojo y la oreja (p. 45).

Tianmen: en el centro de la frente, en un punto situado justo en medio de las cejas (p. 46).

Tianzhu: línea vertical desde la base del cráneo hasta el centro de la nuca (p. 52).

Vejiga 2, Zanzhu: la depresión situada junto al extremo interior de la ceja (p. 45).

Vejiga 11, Dazhu: a la altura del borde inferior de la apófisis espinal de la primera vértebra dorsal (p. 85).

Vejiga 12, Fengmen: a la altura del borde inferior de la apófisis espinal de la segunda vértebra dorsal (p. 85).

Vejiga 13, Feishu: el punto del pulmón, a la altura del borde inferior de la apófisis espinal de la tercera vértebra dorsal, a dos dedos (del niño) de la línea central (p. 67).

Vejiga 20, Pishu: el punto del bazo, a la altura del borde inferior de la apófisis espinal de la undécima vértebra dorsal (p. 67).

Vejiga 23, Shenshu: el punto del riñón, a la altura del margen inferior de la segunda vértebra lumbar, a dos dedos (del niño) de la línea central (p. 67).

Vejiga 40, Weizhong: el punto central del pliegue posterior de la rodilla (p. 73).

Vejiga 57, Chengshan: en la pantorrilla, justo debajo de donde se unen los gemelos (p. 73).

Vejiga 62, Shenmai: en la depresión situada debajo del hueso exterior del tobillo (p. 60).

Vesícula biliar 12, Wangu: justo debajo de la apófisis mastoidea del cráneo, detrás de las orejas (p. 44).

Vesícula biliar 20, Fengchi: en las depresiones situadas a ambos lados de la cervical, inmediatamente debajo de la base del cráneo (p. 44).

Vesícula biliar 21, Jianjing: en el centro de una línea trazada desde la apófisis espinal de la séptima vértebra cervical (el hueso más grande de la nuca, cuando la cabeza se inclina hacia delante) hasta la esquina posterior de la articulación del hombro (acromio) (p. 44).

Vesícula biliar 30, Huantiao: a dos tercios de la distancia entre el cóccix y el borde externo del hueso de la cadera (p. 67).

Waibagua: zona circular en el dorso de la mano, con un radio que se extiende desde el centro hasta el nudillo del dedo mayor (p. 39).

Xiaotianxin, "el centro del pequeño corazón", en el centro del borde inferior de la palma, sobre el pliegue de la muñeca, en la depresión situada entre la prominencia tenar mayor y la menor (p. 29).

Bibliografía

Fan Ya-li, *Chinese Pediatric Massage Therapy*, Blue Poppy Press, 1994.

Flaws, Bob, *Keeping your Child Healthy with Chinese Medicine*, Blue Poppy Press, 1996.

Goodwin, Julia, *Natural Babycare,* Ebury Press, 1997.

Luan Changye, *Infantile Tui Na Therapy*, Foreign Language Press, Beijing, 1989.

Mercati, Maria, *Step-by-step Tui Na: Massage to awaken body and mind*, Gaia Books, 1997.

Walker, Peter, *Baby Massage*, Piatkus Books, 1995.

Williams, Tom, *The Complete Illustrated Guide to Chinese Medicine,* Element Books, 1996.

Índice temático

Agradecimientos de la autora

Deseo agradecer especialmente a los médicos chinos de los hospitales de Medicina Tradicional China de Shanghai, Wehai y X'ian. En particular, quiero expresar mi gratitud al Dr. Luan Changye, autor de *Infantile Tuina Therapy*, y al Dr. Zhao Shui an, que pacientemente me asesoraron en detalle acerca de las técnicas –y sus beneficios– que se presentan en este libro. El Dr. Zhao no sólo es un médico brillante sino también un padre dedicado que emplea el Tui Na diariamente en su pequeña hija.

También deseo agradecer a Trevor, mi esposo, por las horas de conversación que contribuyeron a hacer realidad esta obra.

Agradezco a Gaia Books por hacer posible este libro; en particular, a Lucy Guenot por su diseño creativo, y a Catherine Pate por la edición.

Agradecimientos de la editorial

Gaia Books agradece a quienes posaron para las fotografías de este libro: Sebastian Barlow y Katherine Pate; Ruby y Penny Berwick; Kyishia y Zena Cooke; Suzy, Barney y Kitty Crossley; Angus, Callum y Fiona Gegg; Edward Gowan; Paul Guenot; Isaac y Sharon Hamilton; Cissy y Annie Hardy; Molly y Carol Harris; Joel y Lorna Martin; Murray McLellan y Wendy Clifford; Hadley Restall y Lyn Hemming; Alice y Judith Sales; Rose, Megan y Naomi Teague; April y Suzanne Varah.

También expresa su agradecimiento a la Dra. Christine Haseler, por su asesoramiento; a Lynn Bresler, por el índice temático; y a Mark Epton, y Jenny y Owen Dixon por la asistencia en el diseño.

MASAJE CHINO TUI NA EN VÍDEO

Un complemento ideal para los libros sobre Tui Na

SESIONES COMPLETAS
DE TUI NA PARA NIÑOS
HASTA LOS SEIS AÑOS

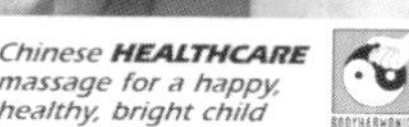

Precio (en libras esterlinas) £29.99
más gastos de envío:
UK £1.50, Europa £2.50, Otros £5

Enviar cheques pagaderos a
BODYHARMONICS®
54 Flecker's Drive
Hatherley
Cheltenham
GL51 5BD

Tel: 01242 582168
Fax: 01242 694355

Pedidos desde el extranjero:
se aceptan tarjetas Visa y Master

TÉCNICAS Y SESIONES BÁSICAS
DE TUI NA PARA NIÑOS
MÁS GRANDES Y ADULTOS

Precio (en libras esterlinas) £14.99 más
gastos de envío:
UK £1.50, Europa £2.50, Otros £5

La información sobre cursos de Tui Na para adultos, Tui Na para niños, masaje Thai tradicional y Acupuntura se encuentra disponible en la dirección antes mencionada y en:
www.bodyharmonics.co.uk email:mariamercati@bodyharmonics.co.uk

TAMBIÉN PUBLICADOS POR GAIA BOOKS

De la misma autora

MASAJE PARA ALIVIO DEL DOLOR
Peijian Shen
£10.99
ISBN 1 85675 052 3

Secuencias de masajes específicamente desarrollados para aliviar el dolor trabajando sobre sus causas.

TUI NA PASO A PASO
Maria Mercati
£11.99
ISBN 1 85675 044 2

Masaje vigoroso y energizante para el tratamiento de dolores crónicos y agudos, y para aumentar la vitalidad.

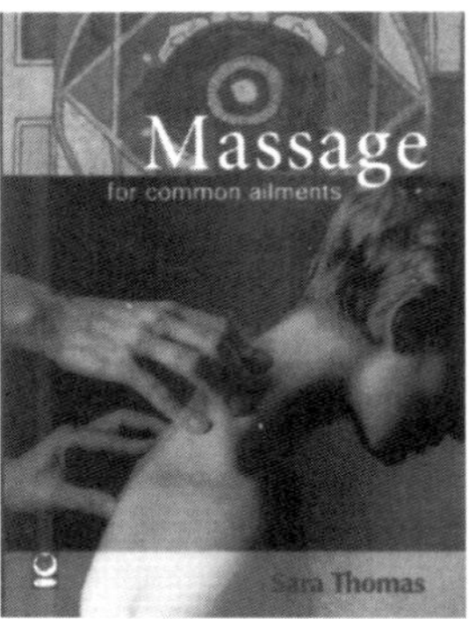

MASAJE PARA
TRASTORNOS CORRIENTES
Sara Thomas
£8.99
ISBN 1 85675 031 0

Técnicas fáciles de aprender para trastornos físicos y emocionales.

Para solicitar catálogo o cualquiera de estos títulos, por favor llame al 01453 752985,
envíe su fax al 01453 752987, o escriba su e-mail a info@gaiabooks.co.uk
O envíenos su carta a 20 High Street, Stroud, Gloucestershire, GL5 1AZ.
¿Conoce nuestro sitio en Internet? Visítenos en: www.gaiabooks.co.uk